崇文馆家庭典藏

崇文国学经典普及文库

三苏文

关夏◎注译

长江出版传媒
崇文书局

三苏文

图书在版编目（CIP）数据

三苏文 / 关夏注译 .
—武汉 ： 崇文书局， 2017.1
（崇文国学经典普及文库）
ISBN 978-7-5403-4262-3
Ⅰ. ①三…
Ⅱ. ①关…
Ⅲ. ①古典散文－散文集－中国－宋代
Ⅳ. ① I264.4
中国版本图书馆 CIP 数据核字（2016）第 261866 号

出 品 人　潘启胜

统　　筹　陈中琼
责任编辑　郑小华

出版发行　长江出版传媒｜崇文书局
地　　址　武汉市雄楚大街 268 号 C 座 11 层
电　　话　(027)87293001　邮政编码　430070

印　　刷　湖北恒泰印务有限公司
开　　本　889×1194　　1/32
印　　张　6.25
字　　数　135 千字
版　　次　2017 年 1 月第 1 版
印　　次　2017 年 1 月第 1 次印刷
定　　价　21.80 元
（如发现印装质量问题，影响阅读，请与承印厂调换）

总序

现代意义的“国学”概念，是在 19 世纪西学东渐的背景下，为了保存和弘扬中国优秀传统文化而提出来的。1935 年，王缁尘在世界书局出版了《国学讲话》一书，第 3 页有这样一段说明：“庚子义和团一役以后，西洋势力益膨胀于中国，士人之研究西学者日益众，翻译西书者亦日益多，而哲学、伦理、政治诸说，皆异于旧有之学术。于是概称此种书籍曰‘新学’，而称固有之学术曰‘旧学’矣。另一方面，不屑以旧学之名称我固有之学术，于是有发行杂志，名之曰《国粹学报》，以与西来之学术相抗。‘国粹’之名随之而起。继则有识之士，以为中国固有之学术，未必尽为精粹也，于是将‘保存国粹’之称，改为‘整理国故’，研究此项学术者称为‘国故学’……”从“旧学”到“国故学”，再到“国学”，名称的改变意味着褒贬的不同，反映出身处内忧外患之中的近代诸多有识之士对中国优秀传统文化失落的忧思和希望民族振兴的宏大志愿。

从学术的角度看，国学的文献载体是经、史、子、集。崇文书局的这一套国学经典普及文库，就是从传统的经、史、子、集中精选出来的。属于经部的，如《诗经》《论语》《孟子》《周易》《大学》《中庸》《左传》；属于史部的，如《战国策》《史记》《三国志》《贞观政要》《资治通鉴》；属于子部的，如《道德经》《庄子》《孙子兵法》《鬼谷子》《世说新语》《颜氏家训》《容斋随笔》《本草纲目》《阅微草堂笔记》；属于集部的，如《楚辞》《唐诗三百首》《豪放词》《婉约词》《宋词三百首》《千家诗》《元曲三百首》《随园诗话》。这套书内容丰富，而分量适中。一个希望对中国优秀传统文化有所了解的人，读了这些书，一般说来，犯常识性错误的可能性就很小了。

崇文书局之所以出版这套国学经典普及文库，不只是为了普及国学常识，更重要的目的是，希望有助于国民素质的提高。在国学教育中，有一种倾向需要警惕，即把中国优秀的传统文化"博物馆化"。"博物馆化"是20世纪中叶美国学者列文森在《儒教中国及其现代命运》中提出的一个术语。列文森认为，中国传统文化在很多方面已经被博物馆化了。虽然中国传统的经典依然有人阅读，但这已不属于他们了。"不属于他们"的意思是说，这些东西没有生命力，在社会上没有起到提升我们生活品格的作用。很多人阅读古代经典，就像参观埃及文物一样。考古发掘出来的珍贵文物，和我们的生命没有多大的关系，和我们的生活没有多大关系，这就叫作博物馆化。"博物馆化"的国学经典是没有现实生命力的。要让国学经典恢复生命力，有效的方法是使之成为生活的一部分。崇文书局之所以强调普及，深意在此，期待读者在阅读这些经典时，努力用经典来指导自己的内外生活，努力做一个有高尚的人格境界的人。

国学经典的普及，既是当下国民教育的需要，也是中华民族健康发展的需要。章太炎曾指出，了解本民族文化的过程就是一个接受爱国主义教育的过程："仆以为民族主义如稼穑然，要以史籍所载人物制度、地理风俗之类为之灌溉，则蔚然以兴矣。不然，徒知主义之可贵，而不知民族之可爱，吾恐其渐就萎黄也。"(《答铁铮》)优秀的传统文化中，那些与维护民族的生存、发展和社会进步密切相关的思想、感情，构成了一个民族的核心价值观。我们经常表彰"中国的脊梁"，一个毋庸置疑的事实是，近代以前，"中国的脊梁"都是在传统的国学经典的熏陶下成长起来的。所以，读崇文书局的这一套国学经典普及读本，虽然不必正襟危坐，也不必总是花大块的时间，更不必像备考那样一字一句锱铢必较，但保持一种敬重的心态是完全必要的。

期待读者诸君喜欢这套书，期待读者诸君与这套书成为形影相随的朋友。

陈文新

（教育部长江学者特聘教授，武汉大学杰出教授）

前言

三苏，指的是北宋时期著名文学家苏洵、苏轼和苏辙父子三人。他们是欧阳修所倡导的新古文运动的主将，又皆进入唐宋八大家之列，为世所称。除散文之外，苏洵、苏辙亦工诗；而苏轼则诗、词、文、书、画兼擅，为一代文坛领袖，影响了宋代文学的风格和走向。三苏在中国文学史上具有崇高地位，明人李维桢认为：三苏祖《孟子》《南华》，浸淫乎战国，放浪秦汉，为文纡徐而直，博辩以昭，无艰涩之状，为世宗尚。是为确论。

苏洵（1009—1066），字明允，号老泉，世称苏文公。眉州（今四川眉山）人。他少不知学，二十七岁时才发奋读书，通读“六经”“百家”之文。后得到欧阳修、韩琦等人的赏识，举荐于朝。欧公曾将他的文章呈献给皇帝，一时文人竞相学习模仿他的风格。苏洵对《孟子》《战国策》研究较深，受其影响较大。其文风纵横恣肆、雄奇苍劲，尤其擅长史论、政论。曾巩评价他的文章称：“其雄壮俊伟，若决江河而下也；其辉光明白，若引星辰而上也。”著有《嘉祐集》。

苏轼（1037—1101），字子瞻，号东坡居士，世称苏东坡。眉州（今四川眉山)人。苏洵之子。嘉祐二年(公元 1057 年)进士及第,入朝为官。他一生仕途坎坷,曾因反对王安石变法、"乌台诗案"等多次被贬,辗转地方。其晚年新党重新得势,又被贬海南。后遇赦北还,殁于常州。苏轼继欧阳修之后,成为宋代诗文革新运动的领导者。其文风流畅自然,豪放自如,尝自谓:"作文如行云流水,初无定质,但常行于所当行,止于所不可不止。"《宋史》本传赞其文曰:"其体浑涵光芒,雄视百代,有文章以来,盖亦鲜矣。"著有《东坡七集》。

苏辙(1039—1112),字子由,号颍滨遗老,又号栾城,世称苏文定公。眉州(今四川眉山)人。苏洵之子,苏轼之弟。与兄苏轼同科中进士。由于反对王安石变法,屡遭贬谪。宋哲宗即位之初,曾被召回京师。宋徽宗崇宁年间,避居许州(今河南许昌)。其文风冲和淡雅,俊逸疏宕,《宋史》本传称:"辙性沉静简洁,为文汪洋澹泊,似其为人,不愿人知之,而秀杰之气终不可掩。"著有《栾城集》。

今编选《三苏文》四十篇,皆为三苏之代表作,亦多理道渊懿、文辞峻迈者,汇为一册,以飨读者。

苏洵文

六国……001
项籍……005
乐论……011
谏论上……015
谏论下……023
管仲论……027
上韩枢密书……033
上欧阳内翰书……041
族谱引……048
木假山记……051
送石昌言使北引……054
仲兄文甫字说……058
名二子说……063

苏轼文

前赤壁赋……065
后赤壁赋……071
始皇论……075
伊尹论……080
留侯论……084
论养士……089

论隐公里克李斯郑小同王允之……096
论项羽范增……101
策别训兵旅三……105
超然台记……111
石钟山记……117
方山子传……122
表忠观碑……126
潮州韩文公庙碑……134
徐州莲花漏铭并叙……142
文与可飞白赞……145
上王兵部书……147
答李端叔书……150
祭柳子玉文……154
祭欧阳文忠公文……158

苏辙文

上枢密韩太尉书……161
武昌九曲亭记……165
黄州快哉亭记……169
六国论……173
汉文帝论……177

用重臣 …………………………………………………… 180
孟德传 …………………………………………………… 185

附录

宋史老泉先生传略…………………………………………… 188
宋史东坡先生传略…………………………………………… 189
宋史颍滨先生传略…………………………………………… 190

苏洵文

六　国

【题解】

本文深入论证六国灭亡的原因：弊在赂秦。作者总结历史经验教训，借古讽今，告诫世人：和平不是向敌人卑躬屈膝乞讨得来的。

【原文】

六国[①]破灭，非兵不利，战不善，弊在赂秦。赂秦而力亏，破灭之道也。或曰："六国互丧，率赂秦耶？"曰："不赂者以赂者丧，盖失强援，不能独完，故曰弊在赂秦也。"

秦以攻取之外，小则获邑，大则得城。较秦之所得，与战胜而得者，其实百倍；诸侯之所亡，与战败而亡者，其实亦百倍。则秦之所大欲，诸侯之所大患，固不在战矣。思厥先祖父，暴[②]霜露，斩荆棘，以有尺寸之地。子孙视之不甚惜，举以予人，如弃草芥，今日割五城，明日割十城，然后得一夕安寝。起视四境，而秦兵又至矣。然则诸侯之地有限，暴秦之欲无厌，奉之弥繁，侵之愈急，故不战而强弱胜负已判矣。至于颠覆，理固宜然。古人云："以地事秦，犹抱薪救火，薪不尽，火不灭。"[③]此言得之。

齐人未尝赂秦，终继五国迁灭，何哉？与嬴[④]而不助五国也。五国既丧，齐亦不免矣。燕、赵之君，始有远略，

能守其土，义不赂秦。是故燕虽小国而后亡，斯用兵之效也。至丹以荆卿为计，始速祸焉⑤。赵尝五战于秦，二败而三胜。后秦击赵者再，李牧连却之。洎牧以谗诛⑥，邯郸为郡⑦，惜其用武而不终也。且燕、赵处秦革灭殆尽之际，可谓智力孤危，战败而亡，诚不得已。向使三国各爱其地，齐人勿附于秦，刺客⑧不行，良将⑨犹在，则胜负之数，存亡之理，当与秦相较，或未易量。

呜呼！以赂秦之地，封天下之谋臣；以事秦之心，礼天下之奇才；并力西向，则吾恐秦人食之不得下咽也⑩。悲夫！有如此之势，而为秦人积威之所劫，日削月割，以趋于亡。为国者，无使为积威之所劫哉！夫六国与秦皆诸侯，其势弱于秦，而犹有可以不赂而胜之之势；苟以天下之大，下而从六国破亡之故事，是又在六国下矣。

【注释】

①六国：齐、楚、燕、赵、韩、魏。

②暴(pù)：暴露。

③“古人云”以下四句，见《战国策》。

④嬴：秦姓。此指秦国。秦始皇姓嬴名政。

⑤丹：燕太子丹。荆卿：即荆轲。燕见秦灭六国，祸且至燕，太子丹阴养壮士二十人，使荆轲以樊於期首，及燕督亢地图，献于秦，因袭刺秦王。轲刺秦王不中，王大怒，益发兵伐燕，大破之，遂围蓟。燕王喜奔辽东，斩丹以献秦。秦拔辽东，虏燕王喜，卒灭燕。

⑥牧：李牧，赵北边良将。秦破赵，赵乃以李牧为大将军，击秦军于宜安，大破秦军，封李牧为武安君。秦攻番吾，李牧击破秦军。赵王

迁七年，秦使王翦攻赵，赵使李牧、司马尚御之。秦多与赵王宠臣郭开金，为反间，言李牧、司马尚欲反，赵王乃使赵葱及齐将颜聚代李牧，李牧不受命。赵使人微捕得李牧，斩之。废司马尚。后三月，王翦因急击赵，大破之，虏赵王迁，遂灭赵。

⑦邯郸：赵都，今河北邯郸。此句谓赵国灭亡。

⑧刺客：谓荆轲。

⑨良将：谓李牧。

⑩咽(yàn)：吞。此句谓秦国不能消灭六国。

【译文】

战国时六国的灭亡，不是因为武器不锋利，仗打得不好，弊病在于贿赂秦国。贿赂秦国使本国的力量减弱了，这就是六国灭亡的原因。有人问："六国相继灭亡，全部都是因为贿赂秦国吗?"回答说："不贿赂秦国的国家因为有贿赂秦国的国家而灭亡。因为不贿赂秦国的国家失去了强有力的外援，不可能单独保全，所以说弊病在于贿赂秦国。"

秦国除通过战争手段夺取别国的土地外，还接受诸侯的贿赂，小的获得邑镇，大的获得城市。比较秦国接受贿赂得到的土地与作战胜利得到的土地，那实际上要大上百倍；六国因贿赂秦国失去的土地与战败而失去的土地，实际上也要多上百倍。那么，秦国最大的欲望，诸侯最大的祸患，当然就不在战争了。想一想他们的祖先，冒着霜露，披荆斩棘，才有了一点点土地。子孙后代对它却不怎么爱惜，将它给了别人，像丢弃草芥一样，今天割让五城，明天割让十城，然后才能睡一夜安稳觉。第二天起来往四周一看，秦兵又来了。然而六国的土地是有限的，残暴的秦国的欲望是没有止境的，送给它的越多，它的侵略就越厉害，所以不用打仗，强弱胜败就很清楚了。至于亡国，那是理所当然的。古人说："用土地侍奉秦国，就如同抱着柴去救火，柴不烧完，火就不会灭。"这话说对了。

齐国人不曾贿赂秦国，最终也随着其他五国灭亡，为什么呢？结交秦国而不帮助其他五国。五国被攻灭以后，齐国也免不了亡国。燕、赵的国君，起初有长远的谋略，能够守住他们的国土，坚持大义而不贿赂秦国。因此，燕国虽是小国却最后灭亡，这是用兵抗秦的结果。到了燕太子丹用荆轲刺秦王作为对付秦国的办法，才招致祸患。赵国曾经五次跟秦国作战，战败两次而战胜三次。后来秦国两次攻打赵国，李牧接连打败秦军。等到李牧因为遭到谗言而被杀，邯郸就成了秦国的一个郡，可惜赵用武力抗秦却不能坚持到底。况且燕国和赵国处在秦国把其他国家消灭得差不多了的时候，可以说智谋和力量都已经孤立危急了，战败后灭亡，实在是没有办法。假使韩、魏、楚三国都爱惜它们的土地，齐国不依附秦国，燕国不派刺客，赵国的良将还在的话，那么，胜负的命运，存亡的道理，如果与秦国相比较，或许还不容易说清楚呢。

唉！假如六国用贿赂秦国的土地，来封给天下的谋臣；用侍奉秦国的心，来礼遇天下的奇才；合力向西抵抗秦国，那么，我恐怕秦国人连吃饭都咽不下去。可悲呀！有这样好的形势，却被秦国长期形成的威势所胁迫，日削月割，从而渐渐走向灭亡。治理国家的人，可不要使自己为别人长期形成的威势所胁迫啊！六国与秦国都是诸侯国，六国的势力虽然比秦国弱，但还有可以不去贿赂秦国而能战胜敌人的力量；如果凭着天下一统的大国，却重蹈六国灭亡的老路，这就又在六国之下了。

项　籍

【题解】

本文是一篇史论。作者在文中主要对西楚霸王项羽败亡的原因展开讨论，认为项羽有勇无谋、缺乏远见，所犯的最大错误在于先救赵而不是先入秦，如果在秦军围巨鹿之时项羽整军向西，占据咸阳，则可以得天下。

【原文】

吾尝论，项籍[①]有取天下之才，而无取天下之虑；曹操[②]有取天下之虑，而无取天下之量；刘备[③]有取天下之量，而无取天下之才。故三人者，终其身无成焉。且夫不有所弃，不可以得天下之势；不有所忍，不可以尽天下之利。是故地有所不取，城有所不攻，胜有所不就，败有所不避。其来不喜，其去不怒，肆天下之所为，而徐制其后，乃克有济。

呜呼！项籍有百战百胜之才，而死于垓下[④]，无惑也。吾观其战于巨鹿也[⑤]，见其虑之不长，量之不大，未尝不怪其死于垓下之晚也。方籍之渡河，沛公始整兵向关[⑥]，籍于此时，若急引军趋秦，及其锋而用之，可以据咸阳[⑦]，制天下。不知出此，而区区与秦将争一旦之命，既全巨鹿，而犹徘徊河南、新安[⑧]间，至函谷[⑨]，则沛公入咸阳数月矣。夫秦人既已安沛公而仇籍，则其势不得强而

臣。故籍虽迁沛公汉中[10]，而卒都彭城[11]，使沛公得还定三秦[12]，则天下之势，在汉不在楚。楚虽百战百胜，尚何益哉！故曰：兆垓下之死者，巨鹿之战也。

或曰："虽然，籍必能入秦乎？"曰："项梁死，章邯谓楚不足虑，故移兵伐赵[13]，有轻楚心，而良将劲兵，尽于巨鹿。籍诚能以必死之士，击其轻敌寡弱之师，入之易耳。且亡秦之守关，与沛公之守，善否可知也。沛公之攻关，与籍之攻，善否又可知也。以秦之守，而沛公攻入之；沛公之守，而籍攻入之。然则亡秦之守，籍不能入哉？"或曰："秦可入矣，如救赵何？"曰："虎方捕鹿，罴据其穴，搏其子，虎安得不置鹿而返？返则碎于罴明矣。军志所谓攻其必救也。使籍入关，王离、涉间必释赵自救[14]。籍据关逆击其前，赵与诸侯救者十余壁蹑其后，覆之必矣。是籍一举解赵之围，而收功于秦也。战国时，魏伐赵，齐救之，田忌引兵疾走大梁，因存赵而破魏[15]。彼宋义[16]号知兵，殊不达此，屯安阳[17]不进，而曰：'待秦敝。'吾恐秦未敝，而沛公先据关矣。籍与义俱失焉。"

是故古之取天下者，常先图所守。诸葛孔明弃荆州而就西蜀，吾知其无能为也。且彼未尝见大险也，彼以为剑门[18]者，可以不亡也。吾尝观蜀之险，其守不可出，其出不可继，兢兢而自完，犹且不给，而何足以制中原哉？若夫秦、汉之故都，沃土千里，洪河大山，真可以控天下，又乌事夫不可以措足如剑门者，而后曰险哉？今夫富人，必居四通五达之都，使其财布出于天下，然后可以收天下之利。有小丈夫者，得一金，椟而藏诸家，拒户而守之。

呜呼！是求不失也，非求富也。大盗至，劫而取之，又焉知其果不失也？

【注释】

①项籍：字羽，项氏世世为楚将，封于项，故姓项氏。

②曹操：字孟德，小字阿瞒，其父夏侯嵩，为宦官曹腾养子，因冒姓曹。尝起兵讨董卓，即进封魏王，操子丕篡汉，追尊操为武帝。

③刘备：字玄德，汉景帝子中山靖王之后。讨黄巾军有功，为豫州牧，后领益州牧。魏黄初二年（公元 221 年），即皇帝位，都成都。

④垓（gāi）下：在今安徽固镇东北。《史记》：项王军壁垓下，兵少食尽，汉军及诸侯兵围之数重，旋乃自刎而死。

⑤巨鹿：秦郡，今河北平乡西南。《史记》：章邯已破项梁军，则以为楚地兵不足忧，乃渡河击赵，大破之。赵歇、陈余、张耳，皆走入巨鹿城，章邯令王离、涉间围巨鹿。怀王以宋义为上将军，救赵。行至安阳，留四十六日不进。至无盐，饮酒高会，天寒大雨，士卒冻饥。项羽曰："今不恤士卒，而徇其私，非社稷之臣"，即其帐中斩宋义头。乃渡河救巨鹿。于是至则围王离，与秦军遇，大破之，虏王离。涉间不降楚，自烧杀。

⑥《史记》：项羽日夜引兵渡三户，军漳南，与秦战，再破之。沛公因略韩地轘辕，围宛城，袭攻武关，破之。遂先诸侯兵至霸上。

⑦咸阳：秦都，在今陕西咸阳市东北。

⑧新安：故城在今河南新安县西，项羽坑秦卒二十余万人于新安城南。

⑨函谷：在今河南灵宝市东北，战国时秦故关也。山形如函，故曰函关。《西征记》：关城在谷中，深险如函，故名。

⑩羽封沛公为汉王，王巴蜀汉中。

⑪彭城：今江苏徐州。

⑫羽三分关中，王秦降将，以章邯为雍王，王咸阳以西；司马欣为塞王，王咸阳以东；董翳为翟王，王上郡，是为三秦。

⑬项梁：楚将项燕子。章邯：秦将，后封雍王。

⑭王离：王翦之孙，与涉间皆秦将。

⑮田忌：齐将。魏伐赵，赵请救于齐，齐以田忌为将，孙膑为师。忌欲引兵之赵，孙膑曰：不若引兵疾走大梁，彼必释赵而自救，是我一举解赵之围，而收弊于魏也。田忌从之。魏果去邯郸，与齐战于桂陵，大破梁军。

⑯宋义：楚上将军，号为卿子冠军。

⑰安阳：在今河南安阳市西南。

⑱剑门：山名，主峰在四川剑阁县北。

【译文】

我曾经说过，项籍（即项羽）有夺取天下的才能，却没有夺取天下的谋略；曹操有夺取天下的谋略，却没有夺取天下的度量；刘备有夺取天下的度量，却没有夺取天下的才能。所以这三个人，终其一生都未能取得成功。如果不舍弃一些东西，就不能占据天下的优势；不容忍一些事情，就不能得到天下的利益。所以有些地方不去夺取，有些城池不去攻占，有些胜利不去获取，有些失败不去逃避。有人才到来不要得意忘形，有人才离去不要怒形于色，任凭天下人各自作为，我从容地后发制人，这样就能取得成功。

唉！项籍有百战百胜的才能，最后却在垓下兵败身死，这没什么好困惑的。我看他在巨鹿之战中的表现，发现他缺乏远见，度量也不够大，未尝不对他这么晚才败死在垓下感到奇怪。当项籍渡过黄河北上之时，沛公(即刘邦)才开始整顿兵马向武关进发，在这个时候，项籍如果率领军队去攻秦，凭着战胜的锐气而加以利用，就可以攻占咸阳，控制天下。但他不知道运用这一策略，却愚拙地去同秦的将领争一时之胜负，既然已经保全了巨鹿城，却又在河南、新安一带徘徊，等到他到函谷关时，沛公已经进入咸阳几个月了。秦地的百姓既然已经归顺沛公而仇恨项籍，那么以当时的形势来说就不能再强迫他们臣服了。所以项籍把沛公改封到汉中，而自己最后建都于彭城，致使沛公能够再次占据三秦之地，这样，争夺天下的优势，就在汉这一边而不在楚那一边了。楚虽然能百战百胜，还有什么用处呢！所以说：项籍在垓下兵败身死，巨鹿之战时就已经有预兆了。

也许有人会问："虽然如此，又怎么能断定项籍一定可以攻入秦地呢?"我回答说："项梁死后，章邯认为剩下的楚军不足为虑，所以就调动军队去攻打赵国，颇有轻视楚军之心，而把精兵良将都派去围攻巨鹿。这时项籍如果能率领拼死作战的士兵，袭击秦国留守的那些既有轻敌心理而又人少力弱的军队，攻入咸阳是很容易的事情。况且，即将覆亡的秦国军队所把守的关防，和沛公的军队所把守的关防，两者的优劣是不言而喻的。沛公的军队攻打关防，和项籍的军队攻打关防，两者的优劣也是不言而喻的。秦军所把守的关防，沛公可以攻进去；沛公所把守的关防，项籍可以攻进去。那么，即将覆亡的秦国军队所把守的关防，项籍难道就不能攻进去吗?"也许又有人会问："这样说来项籍是可以攻进秦国的，但救赵国的事情怎么办呢?"我回答说："老虎正在追捕鹿，熊罴却乘机占了它的洞穴，搏击它的幼子，老虎怎么可能不舍弃鹿而返回呢？返回就会被熊罴撕碎，这点也是很清楚的，这就是兵书上所说的要攻击敌人必定援救的地方。假如项籍攻入秦国关防，王离、涉间一定会解除对赵国的包围而回救秦国。这时项籍凭借关隘正面迎敌，赵国与其他救赵诸侯的十几支军队在秦军后面追击，就一定可以消灭他们。这样项籍便可一举解除秦军对赵国的包围，而且可以收取灭秦之功。战国时代，魏国攻打赵国，齐国派兵援救，田忌带领军队迅速奔赴魏都大梁，从而救下赵国打败魏国。那个宋义号称懂得兵法，却完全不明白这个道理，他率军救赵走到安阳便停滞不前，说：'要等待秦军疲敝。'我怕秦军还没有疲敝，而沛公已经先一步攻占秦国的关防了。项籍和宋义的做法都是错误的。"

因此，古代那些夺取天下的人，常常优先考虑所占据的地方是否有利于发展。诸葛亮放弃荆州而前往巴蜀地区，我从他的这一举动就知道他不会有什么大的作为了。诸葛亮未曾见过什么是真正的险要，他认为凭借剑门山之险，就可以保住蜀汉不亡。我曾经考察过巴蜀一带的险要地形，它利于防守而不利于进攻，进攻时后方的军队很难接续。这种地方战战兢兢地防守以求保全自身，尚且不能自给自足，又怎么能够依靠它来夺取中原呢？像秦朝、汉朝以前的都城，有上千里肥沃的土地，又有高山大河做屏障，那才真正是能够控制天下的好地方，为什么要去经营像剑门山那样没办法立足的地方，然后还得意地说这里真是险要呢？现在的富人，一定要居住在四通八达的都邑中，使他们的钱财可以流通天下，然后才能收取天下的利益。也有气概小的人，得到一块黄金，就把它用盒子装起来然后藏在家里，关锁门窗守着它。唉！这样做只是谋求不丢失财物，并不是谋求致富啊！一旦有强盗来了，就会洗劫一空，又怎么知道自己的财物不会丢失呢？

乐　论①

【题解】

作者认为“正声入乎耳”，可以启发人们遵守礼制，因而圣人制作乐的目的在于开启人们的向善、循礼之心，以补救礼的局限。

【原文】

礼之始作也，难而易行；既行也，易而难久。天下未知君之为君，父之为父，兄之为兄，而圣人为之君父兄；天下未有以异其君父兄，而圣人为之拜起坐立；天下未肯靡然②以从我拜起坐立，而圣人身先之以耻。呜呼！其亦难矣。天下恶夫死也久矣，圣人招之曰：“来，吾生尔。”既而其法果可以生天下之人，天下之人视其向也如此之危，而今也如此之安，则宜何从？故当其时，虽难而易行。既行也，天下之人视君父兄，如头足之不待别白而后识；视拜起坐立，如寝食之不待告语而后从事。虽然，百人从之，一人不从，则其势不得遽至乎死。天下之人不知其初之无礼而死，而见其今之无礼而不至乎死也，则曰：“圣人欺我！”故当其时，虽易而难久。

呜呼！圣人之所恃以胜天下之劳逸者，独有死生之说耳。死生之说不信于天下，则劳逸之说将出而胜之。劳逸之说胜，则圣人之权去矣。酒有鸩③，肉有堇④，然后人不敢饮食；药可以生死⑤，然后人不以苦口为讳。去其

鸩，彻其堇，则酒肉之权固胜于药。圣人之始作礼也，其亦逆知其势之将必如此也。曰："告人以诚，而后人信之。幸今之时，吾之所以告人者，其理诚然，而其事亦然，故人以为信。吾知其理，而天下之人知其事。事有不必然者，则吾之理不足以折天下之口，此告语之所不及也。"告语之所不及，必有以阴驱而潜率之。于是观之天地之间，得其至神之机，而窃之以为乐。

雨，吾见其所以湿万物也；日，吾见其所以燥万物也；风，吾见其所以动万物也。隐隐磕磕⑥，而谓之雷者，彼何用也？阴凝而不散，物蹙而不遂，雨之所不能湿，日之所不能燥，风之所不能动，雷一震焉，而凝者散，蹙⑦者遂。曰雨者，曰日者，曰风者，以形用；曰雷者，以神用。用莫神于声，故圣人因声以为乐。为之君臣、父子、兄弟者，礼也。礼之所不及，而乐及焉。正声入乎耳，而人皆有事君、事父、事兄之心，则礼者固吾心之所有也。而圣人之说，又何从而不信乎！

【注释】

①《礼记·乐论》：凡音者，生于人心者也；乐者，通伦理者也……是故审声以知音，审音以知乐，审乐以知政，而治道备矣……知乐则几于礼矣。此篇即由此阐发。

②靡然：随顺之意。

③鸩(zhèn)：毒鸟也，食蛇。以羽浸酒，饮之即死。

④堇：草名。毒药。

⑤药可以生死：谓药可以起死回生。

⑥隐隐砿砿(hóng):象声词。《法言·问道》:或问大声,曰:非雷非霆,隐隐砿砿。

⑦蹙(cù):紧迫,急促。

【译文】

礼开始制作的时候,虽然困难但容易推行;等到施行开之后,虽然容易却难以持久。天下人都还不知道君王要像君王,父亲要像父亲,兄长要像兄长时,圣人让君王父兄的名分得以彰显;天下人还不知道君王父兄之间的区别时,圣人让他们懂得了拜、起、坐、立的礼节;天下人不肯听从圣人之说而行拜、起、坐、立之礼时,圣人以身作则而让他们以不行礼为耻。哎呀,真是困难啊!天下人厌恶死亡已经很久了,圣人招呼他们说:"来,我让你们活着。"然后他的方法果真可以让天下人活下来,天下人看到他们之前的处境是如此的危险,而现在的处境是如此的安全,那么他们将会何去何从呢?所以在那个时候,礼虽然创制很难却很容易施行。等到施行之后,天下人对待他们的君王父兄,就像识别头和脚一样不需要特别提醒就知道了;对待拜、起、坐、立之礼,就像睡觉吃饭一样不需要告诉就自然而然地做了。虽然如此,一百个人都能够服从,如果有一个人不服从,那形势也不至于马上就陷入死地。天下人不知道起初没有礼就会陷入死地,而看到如今不遵从礼却不至于陷入死地,就会说:"圣人欺骗了我!"所以在那个时候,礼虽然容易施行却很难持久。

哎呀!圣人据以战胜天下人劳逸之说的,只有死生这个说法而已。一旦死生之说不被天下人信任,那么劳逸之说就会冒出来并且获胜。一旦劳逸之说获胜,那么圣人的权威也就丧失了。酒中出现了鸩毒,肉中出现了堇毒,然后人就不敢喝酒吃肉了;药可以起死回生，然后人就不再忌讳药苦口了。一旦去掉酒中的鸩毒，除去肉中的堇毒，那酒肉的味道本来就比药的味道要好。圣人开始创制礼的时候，也预料到以后的形势必定会这样，说道："跟人说话要诚实，然后人们才会相信你的话。幸运的是，如今我用来告诉人们的，它的道理是正确的，并且事实也是如此，所以人们才相信。我明白其中的道理，天下人知道相应的事实。事实有时不一定会合于道理，那么我的道理就不足以让天下人信服了，这就不是用言语相告所能解决的了。"用言语相告不能解决，必须用一种暗中驱使率领的办法来解决。于是圣人观察天地之间的事物，得到最神奇的机运，从而窃取它来制作乐。

雨，我看见它能够湿润万物；太阳，我看见它能够干燥万物；风，我看见它能够摇动万物。那个发出隐隐砝砝的声响，而被称作雷的东西，它有什么作用呢？阴气凝聚在一起而不消散，万物蹙迫在一起而不畅通，雨不能使其润湿，太阳不能使其干燥，风不能使其摇动，而雷霆一震，就能让那些凝聚的东西散开，蹙迫在一起的东西畅通。名字叫作雨的，名字叫作太阳的，名字叫作风的，是用它们的形态；而名字叫作雷的，是用它的神奇。有用的东西没有比声音更神奇的了，所以圣人便凭借声音制作乐。区别君臣、父子、兄弟关系的，是礼。礼所不能起作用的地方，乐却能够起作用。平正的声音进入人耳，人就有了侍奉君王、侍奉父亲、侍奉兄长之心，那么所说的礼本就是我心中所固有的。那对待圣人的言说教诲，又怎么会不相信呢！

谏论上

【题解】

本篇论述进谏的方法，作者提倡向战国时代的游说之士学习，其要领是机智灵活、勇敢善辩，这样就不会触怒君王而招来杀身之祸。

【原文】

古今论谏[1]，常与讽[2]而少直，其说盖出于仲尼[3]。吾以为讽、直一也，顾用之之术何如耳。伍举进隐语，楚王淫益甚[4]；茅焦解衣危论，秦帝立悟[5]。讽固不可尽与，直亦未易少之。吾故曰：顾用之之术何如耳。然则仲尼之说非乎？曰：仲尼之说，纯乎经者也；吾之说，参乎权而归乎经者也。如得其术，则人君有少不为桀、纣者，吾百谏而百听矣，况虚己者乎？不得其术，则人君有少不若尧舜者，吾百谏而百不听矣，况逆忠者乎？然则奚术而可？曰：机智勇辩，如古游说[6]之士而已。夫游说之士，以机智勇辩济其诈；吾欲谏者，以机智勇辩济其忠。请备论其效：

周衰，游说炽于列国，自是世有其人。吾独怪夫谏而从者百一，说而从者十九；谏而死者皆是，说而死者未尝闻。然而抵触忌讳，说或甚于谏。由是知不必乎讽谏，而必乎术也。说之术，可为谏法者五：理谕之，势禁之，利诱之，激怒之，隐讽之之谓也。

触龙以赵后爱女贤于爱子，未旋踵而长安君出质[7]；甘罗以杜邮之死诘张唐，而相燕之行有日[8]；赵卒以两贤王之意语燕，而立归武臣[9]：此理而谕之也。子贡以内忧教田常[10]，而齐不得伐鲁；武公以麋鹿胁顷襄，而楚不敢图周[11]；鲁连以烹醢惧垣衍，而魏不果帝秦[12]：此势而禁之也。田生以万户侯启张卿，而刘泽封[13]；朱建以富贵饵闳孺，而辟阳赦[14]；邹阳以爱幸悦长君，而梁王释[15]：此利而诱之也。苏秦[16]以牛后羞韩，而惠王按剑太息；范雎[17]以无王耻秦，而昭王长跪请教；郦生[18]以助秦凌汉，而沛公辍洗听计：此激而怒之也。苏代以土偶笑田文[19]，楚人以弓缴感襄王[20]，蒯通以娶妇悟齐相[21]：此隐而讽之也。

五者，相倾险诐之论，虽然，施之忠臣，足以成功。何则？理而谕之，主虽昏必悟；势而禁之，主虽骄必惧；利而诱之，主虽怠必奋；激而怒之，主虽懦必立；隐而讽之，主虽暴必容。悟则明，惧则恭，奋则勤，立则勇，容则宽，致君之道尽于此矣。

吾观昔之臣，言必从，理必济，莫若唐魏郑公[22]，其初实学纵横之说，此所谓得其术者欤？噫！龙逄、比干[23]，不获称良臣，无苏秦、张仪[24]之术也；苏秦、张仪，不免为游说，无龙逄、比干之心也。是以龙逄、比干，吾取其心，不取其术；苏秦、张仪，吾取其术，不取其心，以为谏法。

【注释】

①《白虎通》：谏，间也，因也，更也，是非相间革，更其行也。又《周礼》谏字注：谏犹正也，以道正人行。

②讽：谓譬论不直言也。

③《孔子家语》：孔子曰：忠臣之谏君有五义焉：一曰谲谏，二曰戆谏，三曰降谏，四曰直谏，五曰讽谏，惟度主以行之，吾从其讽谏乎。

④庄王即位，三年不出号令，日夜为乐，伍举入谏，进隐语曰："有鸟在于阜，三年不蜚不鸣，是何鸟也？"庄王曰："三年不蜚，蜚将冲天；三年不鸣，鸣将惊人，举退矣，吾知之矣。"居数月，淫益甚。

⑤秦太后与嫪毐(lào ǎi)通，始皇诛毐，迁太后于雍下，谏而死者二十七人。茅焦谏曰：陛下有狂悖之行，不自知耶！车裂假父，囊扑二弟，迁母于雍，残戮谏臣，今天下闻之，尽瓦解无向秦者，臣言已毕。乃解衣伏质。王下殿手接之，迎太后归。

⑥说(shuì)，《增韵》：说，诱，谓以言语谕人，使从己也。

⑦赵太后用事，秦急攻之，赵求救于齐，齐曰："必以长安君为质，兵乃出。"太后不肯。左师触龙见太后曰："老臣窃以为媪之爱燕后，贤于长安君。夫父母之爱子，则为之计深远，媪之送燕后也，持其踵为之泣，念悲其远也。已行，非弗思也，祭祀必祝之，祝曰：'必勿使反。'岂非计久长，有子孙相继为王也哉？今媪尊长安君之位，而封之以膏腴之地，多予之重器，而不及今令有功于国，一旦山陵崩，长安君何以自托于赵？老臣以媪为长安君计短也，故以为其爱不若燕后。"太后曰："诺。"于是长安君质于齐，齐兵乃出。

⑧秦使张唐往相燕，共谋伐赵，唐不肯行。甘罗见唐曰："应侯欲攻赵，武安君难之，去咸阳七里，而立死于杜邮(秦地名，在今陕西咸阳市东)。今文信侯请卿相燕，而不肯行，臣不知卿所死处矣！"张唐乃行。甘罗：战国时秦国上卿，下蔡(今安徽凤台)人，秦相甘茂之孙，战国时纵横家，《史记》卷七一有传。

⑨赵王武臣间出，为燕军所得，燕将囚之，欲与分赵地半乃归。赵使

者往，燕辄杀之以求地，张耳、陈余患之。有厮养卒曰："吾为公说燕。"谓燕将曰："君知张耳、陈余何如人也？"曰："贤人也。"曰："知其志何欲？"曰："欲得其王耳。"养卒乃笑曰："两人名为求王，实欲燕杀之，而分赵自立。夫以一赵尚易燕，况以两贤王，左提右挈，而责杀王之罪，灭燕易矣！"燕将以为然，乃归赵王。

⑩田常欲作乱于齐，惮国、高、鲍、晏，故移兵伐鲁。子贡往说田常曰："吴强鲁弱，不如伐吴。"田常忿然作色，子贡曰："夫忧在内者攻强，忧在外者攻弱，今君忧在内，伐吴不胜，民人外死，大臣内空。是君上无强臣之敌，下无民人之过，孤主制齐者唯君也。"常曰善。

⑪楚顷襄王欲图周，赧王使武公谓楚相昭子曰："西周之地不过百里，攻之者名为弑君，然犹有欲攻之者，见祭器在焉故也。夫虎肉臊而兵利身，人犹攻之，若使泽中之麋，蒙虎之皮，人之攻之，必万于虎。今子欲诛残天下之共主，居三代之传器，器南则兵至矣。"楚乃止。

⑫秦围赵，魏王使新垣衍谓赵王，使共尊秦昭王为帝。鲁仲连往见衍曰："昔九侯、鄂侯、文王，纣之三公也。纣醢九侯，脯鄂侯，拘文王欲令之死，曷为与人俱称帝王，卒就脯醢之地乎！"衍再拜曰："吾不敢复言帝秦矣。"鲁连：又称鲁仲连，战国时齐国人，好谋划，不肯出仕，以伸张正义闻名。

⑬营陵侯刘泽，汉高祖从祖昆弟也。吕后时，齐人田生游乏资，泽用金二百斤为田生寿。田生如长安，令其子求事吕后所幸大谒者张卿，居数月，田生说张卿曰："太后欲立吕产为王，恐大臣不听，卿何不风大臣以闻太后，太后必喜，诸吕以王，万户侯亦卿之有也。"张卿乃风大臣语太后，立吕产为吕王。田生因说之曰："吕产王，诸大臣未大服，今营陵侯刘泽，诸刘长，卿言太后裂十余县王之，彼得王喜，于诸吕王益固矣。"张卿入言之，遂立泽为琅邪王。

⑭审食其封辟阳侯，幸吕太后，人或毁辟阳侯，惠帝怒，欲诛之。辟阳侯急，因朱建求见惠帝之幸臣闳籍孺，说之曰："辟阳侯幸太后，而下吏，道路皆言君谗欲杀之，今日诛侯，旦日太后亦诛君。君何不肉袒为辟阳侯言于帝，出辟阳侯，太后大驩，君富贵益倍矣。"孺从其计，果出辟阳侯。

⑮梁孝王以杀袁盎故谋反，事败恐诛，乃往谢邹阳，令求方略，解罪于上者。阳见王美人兄王长君曰："窃闻长君弟得幸后宫，天下无有，而长君行迹多不循道理。今袁盎事即穷竟，梁王恐诛，如此则太后怫郁，切齿侧目于贵臣，长君危矣！长君诚能为上言，得毋竟梁王事，太后厚德长君，长君之弟幸于两宫，金城之固也。"长君乃入言之，事果得不竟。

⑯苏秦：字季子，东周洛阳人，战国时期著名纵横家、谋略家。学于鬼谷子。《史记》卷六九有传。

⑰范雎(？—公元前255年)，字叔，本魏国人，后仕秦为相，封应侯。善辞令，战国末期著名纵横家。《史记》卷七九有传。

⑱郦生，郦食其，汉初谋臣。陈留高阳(今河南杞县)人。《史记》卷九七有传。

⑲秦昭王闻孟尝君贤，使泾阳君为质以求见。孟尝君将入秦，苏代曰："今旦代从外来，见土偶人与桃梗相与语，土偶人谓桃梗曰：'今子东国之桃梗也，刻削子以为人，降雨下，淄水至，流子而去。则子漂漂者将何如耳？'今秦四塞之国，譬若虎口，而君入之，则臣不知君所出矣。"孟尝君乃止。苏代：东周洛阳人，苏秦之弟。战国时纵横家，游说于齐、燕之间。

⑳楚人有好以弱弓微缴加归雁之上者，顷襄王召而问之。对曰："此何足为大王道也，昔三王以弋道德，五霸以弋战国，王何不以圣人

为弓，以勇士为缴，时张而射之，此六双者可得而囊载也。其乐非特朝夕之乐也，其获非特凫雁之实也。”

㉑齐悼惠王时，曹参为相，齐处士东郭先生、梁石君二人，隐居不仕。蒯通见相国曰：“妇人有夫死三日而嫁者，有幽居守寡不出门者，足下即欲求妇，何取？”曰：“取不嫁者。”通曰：“然则求臣亦犹是也。东郭先生、梁石君，隐居不嫁，未尝卑节以求仕也，愿使人礼之。”相国以为上宾。蒯（kuǎi）通：汉初范阳（今河北定兴）人。善于言辞和权变。

㉒唐魏征，字玄成，太宗时拜谏议大夫，后封郑国公。

㉓龙逢：姓关，谏桀不听，为桀所杀。比干：商纣王叔父，强谏为纣剖心而死。

㉔张仪：魏人，与苏秦俱事鬼谷先生。

【译文】

古今之人议论进谏，往往赞成讽谏而贬低直谏，这种说法大概是出于孔子。我认为讽谏、直谏一样有效，就看进谏时用什么方式罢了。伍举使用隐语进谏，楚王荒淫放纵却更加厉害；茅焦解衣待诛而直陈危亡，秦皇立即省悟过来。讽谏本来就不可能都是好的，直谏也不能说都是不好的。所以我说：只看进谏时用什么方式罢了。然而孔子所说是错的吗？我说：孔子的说法，完全是正常的方式；我的说法，是掺杂着权变而归于正常的方式。如果能掌握适当的方法，那么君主只要还比夏桀、商纣稍微强一些，我进谏一百次他就会听从一百次，何况是虚心纳谏的君主呢？如果方式不当，那么君主只要稍微不似唐尧、虞舜，我进谏一百次他会不听从一百次，何况是拒纳忠言的君主呢？那么什么方法才可以呢？我回答说：机敏、智慧、勇敢、善辩，就像古代游说之士那样就可以了。那些游说之士，靠着机敏、智慧、勇敢、善辩助成他的诡诈；我要进谏君主，靠着机敏、智慧、勇敢、善辩助成我的忠诚。请听我详细论述一下它的实际效果：

周朝衰微，游说之风在诸侯国中兴盛起来，从此以后，世世代代都有这样的人物。我特别奇怪的是，进谏君主而被听从的仅有百分之一，游说君主而被听从的却占十分之九；因进谏君主而丧命的比比皆是，因游说君主而丧命的却从未听说过。然而触犯君主的忌讳，有时游说比进谏还严重。由此可知，关键不一定在讽谏上，而一定在方法上。游说的技巧，可以成为进谏的方法的有五种：用道理晓谕他，用形势禁止他，用利益引诱他，用言辞激怒他，用隐语讽刺他等。

触龙用赵太后爱女儿胜过儿子来劝说赵太后，触龙还未回到家，长安君就到齐国做人质去了；甘罗拿武安君白起死在杜邮这件事来诘问张唐，张唐就答应到燕国为相并定好了出发的日期；赵国士卒用张耳、陈余欲自立为王之事说燕王，燕王立刻放回赵王武臣：这些就是用道理晓谕他的事例。子贡用忧虑国内就不应征伐强国来指教田常，于是齐国就不征伐鲁国了；西周武公用麋鹿蒙上虎皮而被万人捕杀的比喻威胁楚顷襄王，于是楚国就不敢谋划进攻西周了；鲁仲连用秦烹醢魏王恐吓新垣衍，于是魏国决计不尊奉秦王为帝：这些就是用形势禁止他的事例。田生用封万户侯来启发张卿，于是刘泽被封王了；朱建用富贵去诱导闳孺，于是辟阳侯就被赦免了；邹阳用受太后皇帝宠幸来取悦王长君，于是梁孝王的嫌疑就被消除了：这些就是用利益引诱他的事例。苏秦用大国不应作牛后来羞辱韩国，于是韩惠王按剑长叹而加入合纵；范雎用秦国只知太后、穰侯而不知有君王耻笑秦昭王，于是秦昭王长跪请教；郦食其用助秦攻诸侯还是率诸侯攻秦来责问沛公，于是沛公立即停止洗脚，起立相迎而听破秦大计：这些就是用言辞激怒他的事例。苏代用土偶讥笑木偶无所归宿来讽刺田文,楚人用弓缴不应射鸟而射天下去感悟顷襄王,蒯通以娶妻应娶不嫁女来提醒齐相曹参任用齐国二隐士:这些就是用隐语讽刺他的事例。

以上五种,都是见解偏颇邪僻的说法,虽然如此,由忠臣来运用它,也完全可以成功。什么缘故呢?用道理晓谕他,君主虽然昏庸,也一定会醒悟;用形势禁止他,君主虽然骄傲,也一定会害怕;用利益引诱他,君主虽然怠惰,也一定会振奋起来;用言辞激怒他,君主虽然懦弱,也一定会坚强起来;用隐语讽刺他,君主虽然凶暴,也一定会容纳意见。醒悟就会明白,害怕就会谨慎,振奋就会勤劳,坚强就会勇敢,容纳就会宽厚,辅助君主的方法,全在这里了。

我观察以前做臣子的,提出的意见必定听从,讲的道理必定有益,没有谁比得上唐代魏征,他起初实际上学的是纵横家的学说,这就是所谓能掌握适当方法的人吧?唉!龙逢、比干,没有得到良臣的称号,因为他们没有苏秦、张仪的进谏方法;苏秦、张仪,终究不过是游说之士,因为他们没有龙逢、比干的耿耿忠心。因此,对于龙逢、比干,我取他们的忠心,但是不取他们进谏的方法;对于苏秦、张仪,我取他们进谏的方法,但是却不取他们欺诈的用心,以此作为进谏的方法。

谏论下

【题解】

本篇论述君主应该如何鼓励臣下进谏，主要提出了两点，即设进谏之赏，立不谏之刑。只有合理运用赏与罚，国家才会兴盛。

【原文】

夫臣能谏，不能使君必纳谏，非真能谏之臣；君能纳谏，不能使臣必谏，非真能纳谏之君。欲君必纳乎？向之论备矣。欲臣必谏乎？吾其言之。

夫君之大，天也；其尊，神也；其威，雷霆也。人之不能抗天、触神、忤雷霆，亦明矣。圣人知其然，故立赏以劝之，《传》曰“兴王赏谏臣”是也[①]。犹惧其选耎阿谀[②]，使一日不得闻其过，故制刑以威之，《书》曰“臣下不正，其刑墨”[③]是也。人之情，非病风丧心，未有避赏而就刑者，何苦而不谏哉？赏与刑不设，则人之情，又何苦而抗天、触神、忤雷霆哉？自非性忠义，不悦赏，不畏罪，谁欲以言博死者？人君又安能尽得性忠义者而任之？

今有三人焉：一人勇，一人勇怯半，一人怯。有与之临乎渊谷者，且告之曰：“能跳而越，此谓之勇，不然为怯。”彼勇者耻怯，必跳而越焉；其勇怯半者与怯者，则不能也。又告之曰：“跳而越者与千金，不然则否。”彼勇怯半者奔利，必跳而越焉；其怯者犹未能也。须臾，顾见猛

虎暴然向逼，则怯者不待告，跳而越之如康庄[4]矣。然则人岂有勇怯哉？要在以势驱之耳。

君之难犯，犹渊谷之难越也。所谓性忠义，不悦赏，不畏罪者，勇者也，故无不谏焉。悦赏者，勇怯半者也，故赏而后谏焉。畏罪者，怯者也，故刑而后谏焉。先王知勇者不可常得，故以赏为千金，以刑为猛虎，使其前有所趋，后有所避，其势不得不极言规失，此三代所以兴也。末世不然，迁其赏于不谏，迁其刑于谏，宜乎臣之噤口[5]卷舌，而乱亡随之也。间或贤君欲闻其过，亦不过赏之而已。呜呼！不有猛虎，彼怯者肯越渊谷乎？此无他，墨刑之废耳。三代之后，如霍光诛昌邑不谏之臣者[6]，不亦鲜哉！今之谏赏，时或有之；不谏之刑，缺然无矣。苟增其所有，有其所无，则谀者直，佞者忠，况忠直者乎！诚如是，欲闻谠言而不获[7]，吾不信也。

【注释】

①“兴王”句，见《国语》。

②选：与“巽”通。选耎(ruǎn)：畏怯之意。《汉书·西南夷传》：“议者选耎，复守和解。”阿：比也，曲从，迎合。谀：谄也，《荀子》：“以不善和人者谓之谀。”

③《书·伊训》：“臣下不匡，其刑墨”，“匡”字，避宋太祖讳作“正”。墨：五刑之一，凿其额涅以墨书。

④《尔雅·释宫》：“五达谓之康，六达谓之庄。”《史记·孟子荀卿列传》：“为开第康庄之衢。”

⑤噤：口闭也。《史记·晁错列传》：“噤口不敢复言。”

⑥昌邑群臣，坐亡辅导之谊，陷王于恶，霍光悉诛二百余人。霍光：字子孟，去病异母弟。昌邑王，名贺。

⑦谠(dǎng)言：直言也。《汉书·班固传》："吾久不见班生，今日复闻谠言。"

【译文】

能进谏的大臣，却不能使国君纳谏，算不上真正能进谏的大臣；能纳谏的国君，却不能使大臣劝谏自己的过失，就不是真正能纳谏的国君。大臣想让国君纳谏该怎么做呢？我先前已经阐述得很详细了。国君想让大臣力谏该怎么做呢？我现在来谈一谈。

国君的伟大，如天；国君的尊贵，如神灵；国君的威势，如雷霆。人不能抗拒上天、触怒神灵、忤逆雷霆，是非常明白显著的。圣人知道这个道理，所以就设立奖励来勉励臣子进谏，这就是《传》中所说的"励精图治的君主赏赐进谏的大臣"。圣人还特别害怕臣下软弱而阿谀奉承，致使君王整日不知晓自己的过失，所以又制定刑罚来胁迫臣子，这就《书》中所说的"臣下不纠正君主的过失，应受到墨刑的处罚"。人之常情，若不是得了疾病而丧失了正常的心态，绝不会逃避赏赐而去选择刑罚，何苦而不谏呢？如果没有设立赏赐与刑罚，按人之常情，又何苦抗拒上天、触怒神灵、忤逆雷霆呢？如果不是本性忠义，不追求赏赐，不畏惧刑罚，谁希望为了进谏而博取死亡呢？可国君又怎么可能完全得到本性忠义的人而加以任用呢？

现在有三个人，一个人勇敢，一个人勇敢、怯懦各半，一个人怯懦。有个人把他们带到深渊前，并且告诉他们说："能去跳并跃过深渊的人，才算勇敢，不然就是怯懦。"那个勇敢的人以怯懦为耻，一定会去跳并跃过深渊；那勇敢、怯懦各半的人和怯懦的人，就做不到了。

这个人又告诉他们说："去跳并跃过深渊的人赏赐千两黄金，不然就没有。"那个勇敢、怯懦各半的人追逐赏赐，一定会去跳并跃过深渊，那个怯懦的人还是做不到。不久，那个怯懦的人回头看到一头猛虎凶狠地逼近，那么他不等别人跟他说什么，就赶紧去跳并跃过深渊，如同走过平坦的大路一样。既然这样，那么人难道真有勇敢、怯懦之分吗？关键在于如何利用形势驱使他们罢了。

国君的威严难以冒犯，如同深渊难以跃过。所谓的本性忠义、不追求赏赐、不畏惧刑罚的人，就像那个勇敢的人，所以没有什么不进谏的。追求赏赐的人，如同那个勇敢、怯懦各半的人，所以有赏赐就会进谏。畏惧刑罚的人，如同那个怯懦的人，所以以刑罚相迫就会进谏。先王知道勇敢的人不可能经常得到，所以把赏赐用作鼓励勇敢、怯懦各半者的千金，把刑罚用作驱使怯懦者的猛虎，让臣子前进时有赏赐，后退时有刑罚，臣子在这种形势下不得不尽力进谏规劝国君的过失，这就是三代之所以兴盛的原因。末世就不是这样，对不进谏者给予赏赐，却对进谏者施加刑罚，大臣们闭口不言就理所当然了，而败乱灭亡也就接踵而至了。偶尔有贤明的国君想听听自己的过失，也不过是赏赐进谏者罢了。唉！如果没有猛虎，那怯懦的人肯跃过深渊吗？这没有其他原因，就是对不进谏的臣子施加墨刑的制度被废弃了。三代之后，像霍光诛杀不规劝昌邑王的大臣的情况，不也太少了吗！现在赏赐进谏者的情况，偶尔还有；可是惩罚不进谏者的刑罚，已经完全废止了。如果增加对进谏者的赏赐，重新启用对不进谏者的刑罚，那么阿谀奉承的人就会变得正直，奸佞的人就会变得忠诚，更何况本来就忠诚正直的人呢！如果真的能这样做，想听到正直的谏言而不可得，我是不相信的。

管 仲 论

【题解】

本文以新颖独到的见解，对管仲进行客观公允的评价，认为他相齐时，修明法度，提出“尊王攘夷”的口号，辅佐齐桓公成就霸业，的确是一位卓越的政治家。但本文真正的落脚点，却是批评管仲临死不能荐贤自代，导致齐国后来小人当政，国家混乱衰亡，从而肯定了贤人对于国家兴盛的重要性。

【原文】

管仲[①]相桓公，霸诸侯，攘戎狄，终其身，齐国富强，诸侯不叛。管仲死，竖刁、易牙、开方用[②]。桓公薨于乱，五公子争立[③]，其祸蔓延，讫简公[④]，齐无宁岁。

夫功之成，非成于成之日，盖必有所由起；祸之作，不作于作之日，亦必有所由兆。则齐之治也，吾不曰管仲，而曰鲍叔[⑤]；及其乱也，吾不曰竖刁、易牙、开方，而曰管仲。何则？竖刁、易牙、开方三子，彼固乱人国者，顾其用之者，桓公也。夫有舜，而后知放四凶[⑥]；有仲尼，而后知去少正卯[⑦]。彼桓公何人也？顾其使桓公得用三子者，管仲也。仲之疾也，公问之相。当是时也，吾以仲且举天下之贤者以对，而其言乃不过曰“竖刁、易牙、开方三子非人情，不可近”而已。呜呼！仲以为桓公果能不用三子矣乎？仲与桓公处几年矣，亦知桓公之为人矣乎！桓公声

不绝于耳，色不绝于目，而非三子者，则无以遂其欲。彼其初之所以不用者，徒以有仲焉耳。一日无仲，则三子者，可以弹冠相庆[8]矣。

仲以为将死之言，可以絷[9]桓公之手足邪？夫齐国不患有三子，而患无仲；有仲，则三子者，三匹夫耳。不然，天下岂少三子之徒哉？虽桓公幸而听仲，诛此三人，而其余者，仲能悉数而去之邪？呜呼！仲可谓不知本者矣。因桓公之问，举天下之贤者以自代，则仲虽死，而齐国未为无仲也，夫何患三子者？不言可也。

五霸莫盛于桓、文，文公[10]之才，不过桓公，其臣又皆不及仲；灵公[11]之虐，不如孝公[12]之宽厚。文公死，诸侯不敢叛晋，晋袭文公之余威，得为诸侯之盟主者，百有余年。何者？其君虽不肖，而尚有老成人焉。桓公之薨也，一乱涂地，无惑也，彼独恃一管仲，而仲则死矣。夫天下未尝无贤者，盖有有臣而无君者矣。桓公在焉，而曰天下不复有管仲者，吾不信也。

仲之书，有记其将死，论鲍叔、宾胥无之为人，且各疏其短[13]。是其心以为是数子者，皆不足以托国，而又逆知其将死，则其书诞谩不足信也。吾观史鳍[14]，以不能进蘧伯玉，而退弥子瑕[15]，故有身后之谏；萧何且死，举曹参以自代[16]：大臣之用心，固宜如此也。夫国以一人兴，以一人亡。贤者不悲其身之死，而忧其国之衰。故必复有贤者，而后可以死。彼管仲者，何以死哉！

【注释】

①管仲：名夷吾，颍上（今属安徽）人。

②竖刁：寺人刁也。易牙：雍人，善烹调。开方：卫之公子。《韩非子》：管仲有病，桓公往问之，管仲曰：愿君去竖刁，除易牙，远卫公子开方。易牙为君主味，君唯人肉未尝，易牙烝其首子而进之；君妒而好内，竖刁自宫以治内；开方事君十五年，齐卫之间，不容数日行，弃其母久官不归；臣闻之，矜伪不长，盖虚不久，愿君去此三子也！管仲卒死，桓公弗行。

③《左传》：齐侯好内，多内宠，内嬖如夫人者六人；长卫姬生武孟，少卫姬生惠公，郑姬生孝公，葛嬴生昭公，密姬生懿公，宋华子生公子雍。公与管仲属孝公于宋襄公，以为太子，管仲卒，五公子皆求立。

④简公：名壬，为田常所弑。

⑤鲍叔：即鲍叔牙，荐管仲于桓公者。

⑥《书·舜典》：流共工于幽州，放驩兜于崇山，窜三苗于三危，殛鲧于羽山。

⑦少正卯：鲁之闻人，孔子为鲁司寇，诛之两观之下，曰："天下有大恶五，而少正卯兼有之，不可不除也。"

⑧弹冠相庆：言整洁其冠，将出而仕。《汉书》："王阳在位，贡公弹冠。"

⑨絷：拴，捆。

⑩文公：晋文公重耳也。

⑪灵公：名夷皋，晋文公孙。

⑫孝公：齐桓公子，即公子昭。

⑬《管子·戒篇》：管子寝疾，对桓公曰：鲍叔之为人也，好直而不能以国诎；宾胥无（齐大夫）之为人也，好善而不能以国诎。

⑭史䲡(qiū)：字子鱼，卫大夫。将死，命其子曰："吾不能进蘧伯玉，退弥子瑕，是不能正君也；生不能正君，死无成礼，置尸牖下毕矣。"灵公吊，怪而问之，子以父言告，灵公于是进蘧伯玉退弥子瑕。

⑮蘧(qú)伯玉：名瑗(yuàn)，卫之贤者。弥子瑕：灵公之嬖人。

⑯萧何病，孝惠帝临视，因问曰："百年后，谁可代君者？"曰："知臣莫若君。"孝惠曰："曹参如何？"何顿首曰："帝得之矣。"

【译文】

管仲辅佐齐桓公，称霸诸侯，抗击夷狄，一直到他去世，齐国国富民强，诸侯都不敢背叛。管仲死后，竖刁、易牙、开方得到重用。齐桓公在内乱中死去，五个公子争夺王位，这些祸乱一直蔓延到齐简公的时候，齐国没有一个安宁的年份。

事业的成功，并不是形成于成功的时候，而一定有它形成的预兆；灾祸的产生，并不是产生在灾祸发生的日子，也一定有它发生的兆头。那么齐国的太平强盛，我不说是由管仲造成的，而说是鲍叔牙带来的；等到齐国发生祸乱的时候，我不说是由竖刁、易牙、开方这三个人造成的，而说是管仲引起的。为什么这样说呢？竖刁、易牙、开方三个人，固然是扰乱国家的人，但是起用他们的人，是齐桓公。有了舜，然后才知道要流放四大恶人；有了仲尼，然后才知道要除去少正卯。那齐桓公到底是个什么样的人呢？而使齐桓公任用三人的人，却是管仲啊！管仲病重的时候，桓公问他谁可以担任相国的职务。那个时候，我以为管仲将会推举天下贤人作为回答，可是他说的话不过是"竖刁、易牙、开方三个人做事违背人情，不可亲近"而已。唉！管仲以为齐桓公真的不会起用这三个人么？管仲与齐桓公相处了几年，也应该了解齐桓公的为人啊！齐桓公的耳朵离不开音乐，眼睛离不开女色，没有这三个人侍奉，就无法满足他的欲望。当初他之所以没有起用他们，只是因为管仲还在。一旦没了管仲，那么这三个人就可以弹冠相庆了。

管仲以为他临死的话语，就可以捆住齐桓公的手脚么？齐国不担心没有这三个人，而担心没有管仲；有了管仲，那么这三个人，不过是三个匹夫而已。不然的话，难道天下会缺少像这三个人一样的人吗？即使齐桓公有幸听从管仲的话，诛杀这三个人，可是余下的像他们这样的人，管仲能够把他们全部除去吗？唉！管仲可以说是不知道抓住问题的根本的人！如果趁着齐桓公的询问，举荐天下的贤人来代替自己，那么即使管仲死了，齐国未必缺少像管仲一样的人，又何必担心这三个人呢？这个道理不说出来人们也能明白。

春秋五霸没有哪个超过齐桓公、晋文公，晋文公的才能比不过齐桓公，他的大臣也比不过管仲；晋灵公暴虐残酷，不如齐孝公宽厚。晋文公死后，诸侯都不敢背叛晋国。晋国承袭晋文公的余威仍然能够当诸侯的盟主，这种情形长达一百多年。为什么呢？晋国的国君虽然不贤明，但还有年老持重的大臣在。齐桓公死后，齐国乱到不可收拾，这没什么好疑惑的。齐国单只依靠一个管仲，而管仲已经死了。天下不是没有贤明的人，恐怕只是有有才能的大臣，而没有贤明的国君吧。齐桓公在世的时候，说天下不再有像管仲那样的贤人，我是不信的。

管仲所写的书里，有记载他临死时议论鲍叔牙、宾胥无的为人，并且说出他们各自的短处。这就是说他心里认为这几个人，都不能托付以国家重任，可是又预料到自己将要死了，那么他的书是荒诞不经的，是不能令人信服的。我看到史䲡因为不能进用蘧伯玉而斥退弥子瑕，所以有死后的尸谏；萧何将死的时候，荐举曹参代替自己。

大臣们的用心，本来就应该这样。国家常常因重用某一个人而兴盛起来，也因重用某一个人而衰亡。贤明的人不会悲叹自己的死，而会担心国家的衰亡。因此，一定要找到贤明的人接替他，他才可以瞑目。那个管仲，为什么不这样做了以后才死呢！

上韩枢密书

【题解】

这是作者写给枢密使韩琦的一封书启。在本文中，作者旁征博引，纵论古今，深入阐述了自己在军事方面的主张，意在矫正北宋王朝军事政策方面的失误。

【原文】

太尉[①]执事：洵著书无他长，及言兵事，论古今形势，至自比贾谊[②]。所献《权书》，虽古人已往成败之迹，苟深晓其义，施之于今，无所不可。昨因请见，求进末议[③]，太尉许诺，谨撰其说。言语朴直，非有惊世绝俗之谈，甚高难行之论，太尉取其大纲，而无责其纤悉。

盖古者非用兵决胜之为难，而养兵不用之可畏。今夫水，激之山，放之海，决之为沟塍[④]，壅之为沼沚[⑤]，是天下之人能之；委江河，注淮泗，汇为洪波，潴[⑥]为大湖，万世而不溢者，自禹之后，未之见也。夫兵者，聚天下不义之徒，授之以不仁之器，而教之以杀人之事。夫惟天下之未安，盗贼之未殄[⑦]，然后有以施其不义之心，用其不仁之器，而试其杀人之事。当是之时，勇者无余力，智者无余谋，巧者无余技。故其不义之心，变而为忠；不仁之器，加之于不仁；而杀人之事，施之于当杀。及夫天下既平，盗贼既殄，不义之徒，聚而不散，勇者有余力，则思以为

乱；智者有余谋，则思以为奸；巧者有余技，则思以为诈。于是天下之患，杂然出矣。

盖虎豹终日而不杀，则跳踉[8]大叫，以发其怒；蝮蝎终日而不螫[9]，则噬啮草木，以致其毒。其理固然，无足怪者。昔者刘、项奋臂于草莽之间，秦、楚无赖子弟，千百为辈，争起而应者，不可胜数。转斗五六年，天下厌兵，项籍死，而高祖亦已老矣！方是时，分王诸将，改定律令，与天下休息。而韩信、黥布之徒，相继而起者七国，高祖死于介胄之间，而莫能止也。连延及于吕氏之祸，讫孝文而后定。是何起之易，而收之难也？刘、项之势，初若决河，顺流而下，诚有可喜；及其崩溃四出，放乎数百里之间，拱手而莫能救也。呜呼！不有圣人，何以善其后？

太祖、太宗，躬擐[10]甲胄，跋涉险阻，以斩刈[11]四方之蓬蒿。用兵数十年，谋臣猛将满天下，一旦卷甲而休之，传四世，而天下无变，此何术也？荆楚九江之地，不分于诸将，而韩信、黥布之徒，无以启其心也。虽然，天下无变，而兵久不用，则其不义之心，蓄而无所发，饱食优游，求逞于良民。观其平居无事，出怨言以邀其上，一日有急，是非人得千金，不可使也。往年诏天下缮完城池，西川之事，洵实亲见。凡郡县之富民，举而籍其名，得钱数百万，以为酒食馈饷[12]之费。杵声未绝，城辄随坏，如此者数年而后定。卒事，官吏相贺，卒徒相矜，若战胜凯旋而待赏者[13]。比来京师，游阡陌[14]间，其曹往往偶语，无所讳忌。闻之土人，方春时，尤不忍闻。盖时五六月矣，会京师忧大水，锄耰畚筑[15]，列于两河之堧[16]，县官日费千万，传呼劳问之声，不绝者数十里，犹且睊睊狼顾[17]，莫肯效用。且夫内之如京师之所闻，外之如西川之所亲见，天下之势，今何如也？

御将者，天子之事也；御兵者，将之职也。天子者，养尊而处优，树恩而收名，与天下为喜乐者也，故其道不可以御兵。人臣执法而不求情，尽心而不求名，出死力以捍[18]社稷，使天下之心系于一人，而己不与焉，故御兵者，人臣之事，不可以累天子也。今之所患，大臣好名而惧谤。好名则多树私恩，惧谤则执法不坚，是以天下之兵豪纵至此，而莫之或制也。

顷者狄公[19]在枢府，号为宽厚爱人，狎昵士卒，得其欢心，而太尉适承其后。彼狄公者，知御外之术，而不知治内之道，此边将材也。古者兵在外，爱将军而忘天子；在内，爱天子而忘将军。爱将军所以战，爱天子所以守。狄公以其御外之心，而施诸其内，太尉不反其道，而何以为治？或者以为兵久骄不治，一旦绳以法，恐因以生乱。昔者郭子仪去河南，李光弼实代之，将至之日，张用济斩于辕门，三军股栗[20]。夫以临淮[21]之悍，而代汾阳[22]之长者，三军之士竦然如赤子之脱慈母之怀，而立乎严师之侧，何乱之敢生？且夫天子者，天下之父母也；将相者，天下之师也。师虽严，赤子不敢以怨其父母；将相虽厉，天下不敢以咎其君，其势然也。天子者，可以生人，可以杀人，故天下望其生。及其杀之也，天下曰：“是天子杀之！”故天子不可以多杀。人臣奉天子之法，虽多杀，天下无所归怨，此先王所以威怀天下之术也。

伏惟太尉思天下所以长久之道，而无幸一时之名；尽至公之心，而无恤三军之多言。夫天子推深仁以结其心，太尉厉威武以振其惰。彼其思天子之深仁，则畏而不至于怨；思太尉之威武，则爱而不至于骄。君臣之体顺，而畏爱之道立，非太尉吾谁望邪？

【注释】

①太尉：秦汉官名，宋枢密使与太尉官相当，故称枢密为太尉。

②贾谊：汉洛阳人。年十八，属文称于郡中。后为长沙王太傅，又为梁怀王太傅，王薨，谊自伤哭泣死，年三十三。

③末议：对己作《权书》的谦虚说法。司马迁《报任安书》："仆亦尝厕下大夫之列，陪奉外廷末议。"

④塍(chéng)：稻田畦也。班固《西都赋》："沟塍刻镂。"

⑤沼：池也。《尔雅·释水》："小渚曰沚。"《诗·召南》："于沼于沚。"

⑥潴(zhū)：水所停也。《书·禹贡》："大野既潴。"

⑦殄(tiǎn)：尽也；一曰绝也。

⑧跳踉(liáng)：跳跃。《庄子·秋水》："跳踉乎井干之上。"

⑨螫(shì)：虫行毒也。《史记·淮阴侯列传》："猛虎之犹豫，不如蜂虿之致螫。"

⑩擐(huàn)：贯也。《左传》："躬擐甲胄。"

⑪刈(yì)：割草也。

⑫馈：犹归也。以物与人曰"馈"。饷：指军粮。

⑬《左传》："秋七月，丙申，振旅恺以入于晋。"《新唐书·太宗本纪》："太宗败建德于虎牢，执之，六月，凯旋。"

⑭路南北为"阡"，东西为"陌"。

⑮锄耰(yōu):田器也。《淮南子》:"民劳而利薄,后世为之耒耜耰锄。"畚(běn):盛土器,以草索为之。筑:捣也。《左传》:"称畚筑",注云:"筑者筑土之杵。"

⑯堧(ruán):指岸边地。

⑰睊(juàn)睊:侧目相视貌。《晋书·宣帝纪》:"魏武察帝有狼顾相,欲验之,乃召使前行,令反顾,面正向后,而身不动。"狼顾:狼性怯,走常还顾,因以喻人之有所畏惧也。

⑱捍:保卫,防御。

⑲狄公:狄青,字汉臣,宋汾州西河(今山西汾阳)人,元昊反,青为延州指挥使,后又平侬智高。卒谥武襄。

⑳唐乾元二年(公元759年),召郭子仪还京师,以李光弼代之。光弼以骑五百,夜入其军,兵马使张用济屯河阳,谋逐光弼,不果,光弼执而斩之。

㉑指李光弼,封临淮王。

㉒指郭子仪,封汾阳王。

【译文】

太尉执事:苏洵写的书没有其他的优点,只是谈到用兵之事,论述古今形势,以至于把自己比作贾谊。献给您的《权书》,虽然说的是以前古人成功和失败的事迹,如果能深入了解其中的缘故,用作现在的借鉴,也没有什么不可以的。因此昨天请求进见,希望奉上浅陋的议论,太尉答应了,于是就把我的见解写下来。语言朴实直白,没有惊世绝俗的话,以及陈义过高难以施行的议论,希望太尉听取大的方面,而不要苛责具体细节。

古时候并不以指挥军队打胜仗为难事,而认为养兵却不使用才是可怕的事。今天的水，使其激荡在山间，放其流入大海，开掘成为沟渠，堵塞成为池沼，这是天下人都能做到的；将它纳入长江黄河，注入淮河和泗水，汇集成洪流波涛，蓄积成为大湖，万世都不会溢出来，自从大禹之后，还不曾见谁能做到。军队，就是聚集起天下不讲道义的人，交给他们不仁德的器械，而教他们从事杀人的事。只有天下还未安定，盗贼还没有消灭干净，然后才有施行不讲道义的心，使用不仁德的器械，而去尝试杀人的事。那个时候，勇敢的人没有多余的力气，智慧的人没有多余的谋略，工巧的人没有多余的技艺。因此他们的不讲道义之心，变成了忠心；不仁德的器械，用在不仁德的人身上；杀人的事，施加在该杀的人身上。等到天下已经平定，盗贼已经消灭干净，不讲道义的人，聚集而不解散，勇敢的人有多余的力气，就想用来作乱；智慧的人有多余的谋略，就想用来做奸邪之事；工巧的人有多余的技巧，就想用来欺诈。于是天下的祸患，就纷纷出现了。

虎豹一整天没有杀生，就跳跃着大叫，来发泄它的怒气；蝮蛇和蝎子一整天不蜇人，就啃噬草木，来排泄它的毒液。它们天性本来就是这样，没有什么好奇怪的。从前刘邦、项羽在草莽中振臂而起，秦楚之地的无赖子弟，千百成群，竞相起来响应的，数也数不清。辗转战斗五六年，天下都厌倦了战争，项羽死了，汉高祖也已经老了。那个时候，有功的将领被分封为诸侯王，改定法律条令，让天下得以休养生息。然而韩信、黥布这些人起兵反叛，相继起来叛乱的又有七个诸侯国，汉高祖穿着甲胄而死，却不能制止。战事延续到诸吕之乱，直到汉文帝时才平定。战乱怎么发生得这么容易，而收拾起来却这么难？刘邦、项羽的气势，刚开始像溃堤的黄河，顺流而下，当然可喜；等到溃堤的洪水四处奔走，肆虐几百里之间，就只能拱着手而无法挽救了。哎呀！没有圣人，怎么才能妥善处理后续的事？

大宋太祖、太宗皇帝，身披甲胄，跋涉于艰险之境，割除四方的杂草。用兵几十年，谋士和猛将布满天下，一朝解甲而休兵，传了四世，天下没有变乱，这是什么手段呢？荆楚、九江这些地方，不分封给诸将，那么像韩信、黥布之类的人，就没法生起作乱之心。尽管如此，天下没有动乱，军队长时间不使用，那么他们的不义之心，积聚在胸中而无处发泄，饱食终日而悠闲无事，就在善良的百姓身上逞其快意。看他们平时无所事事，发怨言而向上司邀赏，一旦有紧急情况，如果不能让每人得到千金赏钱，就没办法驱使他们。往年诏令天下修缮城池，西川发生的事，是我亲眼见到的。凡是郡县里的富裕人家，全部登记造册，得到数百万钱，作为酒和食物以及军饷的资费。筑墙杵土的声音还没停止，城墙就坏掉了，像这样几年才完成。事情结束后，官吏互相庆贺，兵卒互相夸耀，就像打了胜仗凯旋等待赏赐一样。近来京城，在道路上游荡的士卒，常常窃窃私语，无所顾忌。听当地人说，春天的时候，讲的话尤其不堪入耳。时至五六月份，恰遇京城担心洪水，修堤用的锄头、耰、簸箕、夯杵排列在河的两岸，官府一天耗费上千万钱，传唤呼喊慰问劳苦的声音，几十里不断绝，那些修河堤的人还是四处张望回顾，不肯出力。在内如京师的听闻，在外如西川的亲眼所见，天下的形势，现在怎么样呢？

驾驭将领，是天子的事情；统率士兵，是将领的职责。天子，处在尊贵的地位而过着优裕的生活，树立恩信而获取好名声，使天下人都欢欣喜悦，所以天子是不能领兵的。臣子们执行法规不希求恩情，尽心做事不求名声，出死力来保卫国家社稷，使得天下人之心系在一个人身上，自己却不牵涉进去，所以统御兵卒，是臣子的事，不可以牵累天子。现在所担忧的是，大臣喜爱名声而害怕毁谤。喜爱名声则过多树立私人的恩信，害怕毁谤则在执行法令时不坚决，所以天下的兵卒放纵到这个程度，没有人能够控制驾驭得了。

近来狄青在枢密府，号称宽厚爱人，亲近士兵，得到他们的欢心，而太尉您恰好接任他的职位。狄公这个人，知道统御边境士兵的方法，而不懂得治理内地士兵的道理，是边境将领之材。古来兵卒在边疆，爱戴将军而忘记了天子；在内地，爱戴天子而忘掉了将军。爱戴将军可用以打仗，亲爱天子可用以守备。狄青把统帅边军的心思，施用在内地，太尉您不反其道而行之，将用什么来治理军队呢？有人以为兵卒长久骄横而不被管束，一旦绳之以法，恐怕因此而生出祸乱。从前郭子仪离开河南，李光弼接替他，将到任的那一天，将不听命的张用济推出辕门斩首，三军恐惧战栗。以临淮王李光弼的凶悍作风，来代替汾阳王郭子仪的宽厚长者作风，三军将士害怕得就像小孩子离开慈母的怀抱，而立在严厉的老师旁边，哪里还敢作乱呢？天子，相当于天下人的父母；将相，是天下人的老师。老师虽然严厉，孩子不敢以此怨恨父母；将相虽然严厉，天下人不敢以此归咎于君主，势所必然。天子，可以让人活，可以让人死，所以天下人都希望天子让人活。等到有人被杀，天下人说："这是天子杀的人！"所以天子不可以多杀人。臣子遵奉天子的法令，即使杀人很多，天下也不会将怨恨归到谁的身上，这就是先代君主用来威慑和怀柔天下的方法。

我恭敬地希望太尉思考怎样使天下长治久安的道理，而不要在意一时的名声；恪尽大公无私之心，而不要忧虑三军的议论。天子推行深厚的仁德来结好士卒的心，太尉厉行威严勇武来赶走他们的惰性。他们思念天子深厚的仁德，就会畏惧而不至于生出怨恨；思虑太尉的威严勇武，就会爱戴而不至于骄横。君与臣的关系理顺了，畏惧和亲爱之道也就树立起来了，除了太尉我还指望谁呢？

上欧阳内翰书

【题解】

这是作者写给欧阳修的一封自荐信。在本文中,作者表达了对欧阳修的崇敬仰慕之情,并叙述自己刻苦力学的经历,以求得到欧阳修的了解和赏识。虽是一封求荐信,但作者感情真挚,不卑不亢,无矫揉造作之态,读之令人荡气回肠。

【原文】

内翰执事:洵布衣穷居,常窃自叹,以为天下之人,不能皆贤,不能皆不肖。故贤人君子之处于世,合必离,离必合。往者天子方有意于治,而范公在相府①,富公为枢密副使②,执事与余公、蔡公为谏官③,尹公驰骋上下,用力于兵革之地④。方是之时,天下之人,毛发丝粟之才,纷纷然而起,合而为一。而洵也,自度其愚鲁无用之身,不足以自奋于其间,退而养其心,幸其道之将成,而可以复见于当世之贤人君子。不幸道未成,而范公西,富公北⑤,执事与余公、蔡公,分散四出,而尹公亦失势,奔走于小官⑥。洵时在京师,亲见其事,忽忽仰天叹息,以为斯人之去,而道虽成,不复足以为荣也。既复自思,念往者众君子之进于朝,其始也,必有善人焉推之;今也,亦必有小人焉间之⑦。今之世无复有善人也,则已矣!如其不然也,吾何忧焉?姑养其心,使其道大有成而待之,何

伤?退而处十年,虽未敢自谓其道有成矣,然浩浩乎其胸中若与曩者异。而余公适亦有成功于南方,执事与蔡公复相继登于朝,富公复自外入为宰相[8],其势将复合为一。喜且自贺,以为道既已粗成,而果将有以发之也。既又反而思其向之所慕望爱悦之而不得见之者,盖有六人焉,今将往见之矣。而六人者,已有范公、尹公二人亡焉,则又为之潸[9]然出涕以悲。呜呼!二人者不可复见矣。而所恃以慰此心者,犹有四人也,则又以自解。思其止于四人也,则又汲汲[10]欲一识其面,以发其心之所欲言。而富公又为天子之宰相,远方寒士,未可遽以言通于其前。而余公、蔡公,远者又在万里外。独执事在朝廷间,而其位差不甚贵,可以叫呼扳援而闻之以言。而饥寒衰老之病,又痼而留之,使不克自至于执事之庭。夫以慕望爱悦其人之心,十年而不得见,而其人已死,如范公、尹公二人者,则四人者之中,非其势不可遽以言通者,何可以不能自往而遽已也!

执事之文章,天下之人莫不知之,然窃自以为洵之知之特深,愈于天下之人。何者?孟子之文,语约而意尽,不为巉[11]刻斩绝之言,而其锋不可犯。韩子[12]之文,如长江大河,浑浩流转,鱼鼋蛟龙,万怪惶惑,而抑遏蔽掩,不使自露;而人望见其渊然之光,苍然之色,亦自畏避,不敢迫视。执事之文,纡余委备,往复百折,而条达疏畅,无所间断。气尽语极,急言竭论,而容与闲易,无艰难劳苦之态。此三者,皆断然自为一家之文也。惟李翱[13]之文,其味黯然而长,其光油然而幽,俯仰揖让,有执事之态;陆赞[14]之文,遣言措意,切近的当,有执事之实。而执事之才,又自有过人者。盖执事之文,非孟子、韩子之文,而欧阳子之文也。夫乐道人之善,而不为谄者,以其人诚足以当之也。彼不知者,则以为誉人以求其悦己也。夫誉人以求其悦己,洵亦不为也。而其所以道执事光明盛大之德而不自知止者,亦欲执事之知其知我也。虽然,执事之名,满于天下,虽不见其文,而固已知有欧阳子矣。而洵也,不幸堕在草野泥涂之中,而其知道之心,又近而粗成。欲徒手奉咫尺之书[15],自托于执事,将使执事何从而知之,何从而信之哉?

洵少年不学,生二十五岁,始知读书,从士君子游。年既已晚,而又不遂刻意厉行[16],以古人自期。而视与己同列者,皆不胜己,则遂以为可矣。其后困益甚,然后取古人之文而读之,始觉其出言用意,与己大异。时复内顾,自思其才,则又似夫不遂止于是而已者。由是尽烧其曩时所为文数百篇,取《论语》《孟子》《韩子》及其他圣人、贤人之文,而兀然端坐,终日以读之者七八年矣。方其始也,入其中而惶然博观,于其外而骇然以惊。及其久也,读之益精,而其胸中豁然以明,若人之言固当然者,然犹未敢自出其言也。时既久,胸中之言日益多,不能自制,试出而书之,已而再三读之,浑浑[17]乎觉其来之易矣,然犹未敢以为是也。近所为《洪范论》《史论》凡七篇,执事观其如何?噫嘻[18]!区区而自言,不知者又将以为自誉,以求人之知己也。惟执事思其十年之心,如是之不偶然也而察之。

【注释】

①范公：谓范仲淹，庆历三年（公元1043年）为参知政事。

②富公：谓富弼，庆历三年拜枢密副使。

③余公：谓余靖；蔡公：谓蔡襄。庆历中，同为谏官。

④尹公：谓尹洙。李元昊反，洙尝在兵间，凡五六年。

⑤庆历四年（公元1044年），范公出为陕西河东宣抚使，富公出为河北宣抚使。

⑥欧公以孤甥张氏狱，左迁知制诰，知滁州。余公为御史王平所劾，出知吉州，改将作少监，分司南京，居曲江。蔡公以母老求知福州。尹公徙知晋州，又知潞州，后为将吏所讼，贬崇信军节度副使，徙监均州酒税。

⑦李维桢曰："按仲淹之相，由欧阳公之推扬；仲淹及弼之抚西北，由夏竦之离间。"

⑧余公平智高之乱于广西。至和元年（公元1054年），欧公迁翰林学士，蔡公迁龙图阁直学士，知开封府。至和二年（公元1055年），富公拜平章事，集贤殿大学士。

⑨潸（shān）：涕流貌。《诗·小雅》："潸焉出涕。"

⑩汲汲：形容急切的样子。《汉书·扬雄传》："不汲汲于富贵。"

⑪巉（chán）：山险绝高峻。

⑫韩子：谓韩愈。

⑬李翱：字习之，唐代文学家，有《李文公集》。

⑭陆贽：字敬舆，唐代文学家，有《陆宣公奏议》。

⑮咫尺之书：书信。古代书写用木简，信札之简长盈尺，故称。孔融《论盛孝章书》："公诚能驰一介之使，加咫尺之书。"

⑯《庄子》："刻意尚行"，注：刻，削也，峻其意也；谓削意令峻也。

⑰浑浑：波相随貌，又与"滚"同，大水流貌。《荀子·富国》："财货浑

浑如泉源。”

⑱噫嘻：叹词。《诗·周颂》：“噫嘻成王。”

【译文】

内翰执事：我苏洵本是乡野平民，隐居不仕，曾经私下叹息，认为天下的人，不可能都贤，也不可能都不肖。所以贤人君子处在世上，有聚合必有分离，有分离又必有聚合。过去天子正有意要治理天下的时候，范公仲淹任宰相，富公弼当枢密副使，执事您与余公靖、蔡公襄任谏官，尹公洙在朝廷上下奔走，在军事上施展才能。在那个时候，天下的人，只要有一点微小的才干，都纷纷被起用，合成一股力量。而我苏洵，自己衡量这愚笨无用的身躯，没有能力从众人中脱颖而出，所以退下来修养身心，寄希望于成就学业，从而可以再与当世的贤人君子相见。不幸学业未成，范公西去，富公北上，执事您与余公、蔡公等，又分散到了四方，而尹公也失势，四处奔走充任小官。我那时正在京城，亲眼见到了这些事情，心中恍惚，仰天长叹，认为这些人离开了朝廷，即使我的学业有成，也不足以为荣耀。进而我又想，过去诸位君子进入朝廷，一开始，必然有善人推荐；现如今，又必然有小人离间。如今再也没有善人了，那就完了啊！而如果不是这样，我又有什么可担忧的呢？姑且修养我的心性，使自己的学业有更大的成功而等待时机，又有什么妨害呢？退回家中居处了十年，虽不敢说学业已有所成，但是心胸广阔好像与过去不一样了。而余公正好也在南方事业有所成功，执事您和蔡公又相继回到朝廷，富公又从外地入朝当了宰相，看这形势，贤人君子又将聚合成一股力量了。我高兴得自己给自己庆贺，以为自己学业已经略有所成，而将有施展的机会了。接着又反过来想过去所仰慕爱戴而始终未能见到的，大致有六位，现在将要前去拜见他们了。可这六个人中，范公、尹公二位已经去世了，则又为他们悲伤流泪。唉！这两位再也见不到了啊。然而尚可宽慰我心的，还有四位在，则又以此自我劝解。想到只剩四位了，所以又急切地想见他们一面，以把心里所想说的话都向他们一吐为快。可富公又出任天子的宰相，我是边远地方的贫寒之士，不可能马上把话传到他的面前；而余公、蔡公二人，又远在万里之外。只有执事您身在朝廷，而职位比较起来不是太显贵，正可以呼喊攀援而把话传给您听。但是饥寒衰老的毛病，又久治不愈而使我不得不滞留，迫使我不能亲自登执事您的门庭来拜谒。我怀着仰慕爱戴那些人的心情，却十年而不得一见，而他们已有死了的，像范公、尹公二位，那么剩下四位之中，除了由于地位的原因不能一下子把话传到他面前的人以外，又怎么可以因为不能亲自前往拜谒而骤然作罢呢！

执事您的文章，天下的人没有不知道的，但我苏洵自以为理解得特别深刻，超过了天下的人。为什么这样说呢？孟子的文章，语言简约而意思详尽，不作深刻险峻而斩钉截铁的文辞，却锋芒毕露而不可侵犯。韩愈的文章，犹如长江黄河，汹涌澎湃，像是鱼鳖蛟龙，万种怪异令人惶恐迷惑，却能遏制锋芒而掩藏起来，不让自己表露于外；而人们远远望见它们深远的光芒，苍茫的色彩，也都自我畏惧而躲避，不敢接近而正视。而执事您的文章，婉转而详备，回环往复，千转百折，却条理通达流畅，没有间断，气势恢宏而语言透彻，言辞明快而论述完备，且从容平易，从没有费力造作的形态。孟子、韩愈和执事您三人，都绝对是自成一家。只有李翱的文章，意味淡泊而隽永，光彩自然而幽深，起承转合，颇有执事您的风格；陆贽的文章，遣词立意，切近事理而准确恰当，颇近执事您的平实。而执事您的才华，又自有超过他人的地方。总而言之，执事您的文章，不是孟子、韩愈的文风，而是您欧阳子的文风。乐于称道别人的好处，而不阿谀奉承，是因为这个人确实当得起这样的称道。那些不知情的人，则认为是吹捧人而求得此人的欢心。吹捧人以求人欢心的事，我苏洵也是不会做的。之所以要称道执事您光明盛大的道德而不能自我控制的原因，也是为了想让执事您知晓我这一点而了解我的心意。虽然，执事您早已名满天下，即使是没读过您文章的人，也都早就知道有个叫欧阳修的。而我苏洵，却不幸沦落到乡间泥土路上，而自己的道德修养，近来粗有所成。想亲手奉上不满一尺的书札，自己请托于执事您，那将怎样让您了解我，并相信我呢？

我年轻时不学习，活到二十五岁，才知道要读书，和有学问的人交游。年龄既已很大了，又不能努力砥砺德行，以古人作为榜样。但看与自己同辈的人，又都不能胜过自己，于是自以为可以了。后来困厄得更厉害了，然后才拿古人的文章来读，开始觉得古人遣词立意，与自己有很大的不同。时常反省自己，自觉一己之才学，似乎不能仅仅至此为止。于是把旧时所写的几百篇文章悉数烧掉，取出《论语》《孟子》《韩子》以及其他圣人贤士的文章，正襟危坐，整天都读这些书达七八年了。刚开始，进入其中而惶恐地广泛浏览，回到书外则又害怕得惊叫起来。时间长了，读得也更精细了，胸中豁然开朗似乎明白了，好像人家的话本来就该如此，然而我还是不敢把自己的话讲出来。时间既然已经很久了，胸中想说的话更多了，不能控制自己，便试着写出来，写完后又一而再再而三地读，浩浩荡荡觉得写出来轻而易举，然而还不敢自以为是。近日所作的《洪范论》《史论》等七篇文章，执事您看它们究竟怎样呢？啊！区区文章还要自己来讲，不明白的人又以为我是在自我吹捧，以求别人来了解我。只有执事您会念我十年的用心，作出这样的文章不是偶然的而来加以考察吧。

族 谱 引

【题解】

本文是作者为本家族族谱所作的序言，主要记述了眉山苏氏的渊源，修谱的原则，以及修谱的意义和影响。因为他的父亲名叫苏序，为了避讳，不称“序”而称“引”。

【原文】

苏氏族谱，谱苏氏之族也。苏氏出于高阳[①]，而蔓延[②]于天下。唐神龙[③]初，长史味道刺眉州[④]，卒于官。一子留于眉，眉之有苏氏自此始。而谱不及者，亲尽也。亲尽则曷为不及？谱为亲作也。凡子得书，而孙不得书，何也？以著代也。自吾之父，以至吾之高祖，仕不仕，娶某氏，享年几，某日卒，皆书，而他不书者，何也？详吾之所自出也。自吾之父，以至吾之高祖，皆曰讳某，而他则遂名之，何也？尊吾之所自出也。谱为苏氏作，而独吾之所自出得详与尊，何也？谱，吾作也。呜呼！观吾之谱者，孝悌之心，可以油然而生矣。

情见于亲，亲见于服，服始于衰[⑤]，而至于缌麻[⑥]，而至于无服。无服则亲尽，亲尽则情尽。情尽则喜不庆，忧不吊。喜不庆，忧不吊，则涂人也。吾所与相视如涂人者，其初兄弟也。兄弟，其初一人之身也。悲夫！一人之身，分而至于涂人，此吾谱之所以作也。其意曰：分而至

于涂人者，势也。势，吾无如之何也。幸其未至于涂人也，使其无至于忽忘焉，可也。呜呼！观吾之谱者，孝悌之心，可以油然而生矣。系之以诗曰：

吾父之子，今为吾兄。吾疾在身，兄呻不宁；数世之后，不知何人。彼死而生，不为戚欣。兄弟之情，如足与手，其能几何？彼不相能，彼独何心！

【注释】

①高阳：颛顼有天下之号也。其地即今河南杞县西南。

②蔓延：言如蔓生之草，延绵不绝也。

③神龙：唐武后年号。

④苏味道：唐栾城（在今河北石家庄）人，武后朝，拜同平章事，中宗复辟，坐张易之党，贬眉州刺史卒。眉州：唐置，今四川眉山。

⑤衰（cuī）：与“缞”同，丧服也，三年之丧用之。

⑥缌麻：五服之最轻者，本宗为高祖父母，及五服内之在小功以下者，服之。

【译文】

苏氏的族谱，是用来排列苏氏的族人的。苏氏出自上古高阳氏，蔓延到全天下。唐神龙初年，长史苏味道任眉州刺史，在任上去世。一个儿子留在眉州，眉州有苏氏族人就是从这时开始的。族谱上没有收录的，是亲情已经尽了。亲情尽了为什么不收录？族谱是为至亲编的。大凡儿子得以收录，而孙子不加记录，为什么呢？是要显明世代。从我的父亲，上溯到我的高祖，是否做官，娶哪姓的妻子，享年多少，哪天去世，都记录下来，而其他人则不记录，为什么呢？是要详细记载我本人的直系先祖。从我的父亲,一直到我的高祖,都写作“讳某”,而其他人则直书其名,为什么呢?是要尊崇我本人的直系先祖。族谱是为苏氏作的,而只有我本人的直系先祖得到详细记载和尊崇,为什么呢?族谱,是我写的。唉!阅读我这本族谱的人,孝悌之心就会油然而生了。

情感可以从亲情看出来,亲情可以从服丧看出来,服丧开始于缞服,而到缌麻为止,其他的就不再服丧了。不服丧亲情就尽了,亲情尽了情感也就尽了。情感尽了,有喜不去庆贺,有忧不去慰问。有喜不去庆贺,有忧不去慰问,就成路人了。我们彼此看待如路人的,最初是兄弟。兄弟,最开始是来自同一个身体。悲哀啊!一个身体,分散以至于成了路人,这就是我编修这本族谱的原因。我的意思是:分散而成为路人的原因,是形势。形势,我能拿它怎么办呢!庆幸还没有成为路人的,使他们不至于相互忽视而忘记,也就可以了。唉!阅读我这本族谱的人,孝悌之心也就会油然而生了。附上一首诗:

我父亲的儿子,现在是我的兄长。我有疾病在身,兄长不停呻吟;过了几代之后,不知他是何人。他去世或生存,我不会悲哀或欢欣。兄弟间的情分,正像手与脚,又能维系多久呢?彼此还不融洽相处,又是安的什么心!

木假山记

【题解】

本文记叙了木假山形成的过程以及它可能经历的重重厄运，曲折地抒发了人才难成与人才难得的感叹，隐含着对封建社会压抑和摧残人才的愤懑。

【原文】

木之生，或蘖而殇[①]，或拱而夭[②]。幸而至于任为栋梁，则伐；不幸而为风之所拔，水之所漂，或破折或腐；幸而得不破折、不腐，则为人之所材，而有斧斤之患。其最幸者，漂沉汩没于湍沙之间[③]，不知其几百年。而其激射啮[④]食之余，或仿佛于山者[⑤]，则为好事者取去，强之以为山，然后可以脱泥沙而远斧斤。而荒江之濆[⑥]，如此者几何！不为好事者所见，而为樵夫野人所薪者，何可胜数！则其最幸者之中，又有不幸者焉。

予家有三峰，予每思之，则疑其有数存乎其间。且其蘖而不殇，拱而不夭，任为栋梁而不伐，风拔水漂而不破折不腐。不破折不腐，而不为人所材，以及于斧斤；出于湍沙之间，而不为樵夫野人之所薪，而后得至乎此，则其理似不偶然也。然予之爱之，则非徒爱其似山，而又有所感焉。非徒爱之，而又有所敬焉。予见中峰，魁岸踞

肆[7]，意气端重，若有以服其旁之二峰。二峰者，庄栗刻峭[8]，凛乎不可犯，虽其势服于中峰，而岌然[9]决无阿附意。吁！其可敬也夫！其可以有所感也夫！

【注释】

①蘖(niè)：芽之旁出者。殇：短寿。

②两手合持曰“拱”。《孟子》：“拱把之桐梓。”夭：谓夭折不尽天年也。

③汩没：埋没之意。湍：急流。

④啮(niè)：侵蚀也。

⑤指形状像山峰。

⑥濆(fén)：水涯，岸边。韩愈文：“天池之滨，大江之濆。”

⑦魁岸：体貌雄杰也。踞：盘踞也。肆：犹放恣也。

⑧庄：谓容貌端严也。《论语》：“临之以庄则敬。”栗：谨敬也。《书·舜典》：“宽而栗。”刻峭：深切之义。

⑨岌然：高貌。

【译文】

树木生长时，有的刚刚抽出嫩芽就死了，有的长到双手合抱那样粗却被摧折了。侥幸长到可用作房梁了，就要被砍伐。不幸被大风拔起，被水流漂走，有的折断了，有的腐烂了；侥幸能够不被折断、不腐烂的，就被人们当作材料使用，有遭斧子砍伐的危险。其中最幸运的，漂浮在水中，埋没在沙石里，不知要经过几百年。经过水流的冲击、沙石的侵蚀之后，有的像山的形状，就被喜欢多事的人取去，加工做成木假山，然后这树木才脱离泥沙而且避免斧砍刀削的灾难了。但是，在荒野的江边，像这样形状似山峰的树木有多少啊！不被好事者发现，却被樵夫农民砍去当柴烧的，怎么数得清！那么，在那些最侥幸的树木中，又有不幸的了。

我家有三座木假山，我常常思虑，怀疑有命运之类的东西在暗中支配。它抽出嫩芽却没有死去，长到合抱那样粗却没有被摧残，长到可做房梁却没有被砍伐，风没有吹折它而水流没有腐蚀它。没有折断腐烂，却没有被人们当作材料使用，没有遭到斧子的伤害；出于水流泥沙之中，却没有被山民砍去当柴烧，然后才能成为木假山，那么，其中的道理似乎不是偶然的。然而我之所以喜爱木假山，却不是只爱它们形状像山，是有别的感想。不只是喜爱它们，而且敬重它们。我见中峰，伟岸耸立，气概庄重，好像要压倒旁边的其他两峰。那另外两座山峰，庄重险拔，凛然不可侵犯，虽然它们的势态被中峰所压倒，但高高耸立绝没有阿附奉迎的样子。啊！真是可敬呀！对它们真是别有一番感想呀！

送石昌言使北引

【题解】

本文是作者与朋友分别时创作的一篇“赠序”。作者在文中回忆了自己与石昌言的交往过程,记叙了石昌言在事业上取得的成就,最后勉励他保持民族气节,争取顺利完成出使的任务与使命。

【原文】

昌言举进士时,吾始数岁,未学也。忆与群儿戏先府君侧,昌言从旁取枣栗啖[①]我。家居相近,又以亲戚故,甚狎[②]。昌言举进士,日有名。吾后渐长,亦稍知读书,学句读、属对、声律[③],未成而废。昌言闻吾废学,虽不言,察其意甚恨。后十余年,昌言及第第四人,守官四方,不相闻。吾日以壮大,乃能感悔,摧折[④]复学。又数年,游京师,见昌言长安[⑤],相与劳问,如平生欢。出文十数首,昌言甚喜,称善。吾晚学无师,虽日为文,中甚自惭,及闻昌言说,乃颇自喜。

今十余年,又来京师。而昌言官两制[⑥],乃为天子出使万里外强悍不屈之虏廷,建大旆[⑦],从骑数百,送车千乘,出都门,意气慨然。自思为儿时,见昌言先府君旁,安知其至此!富贵不足怪,吾于昌言,独自有感也。大丈夫生不为将,得为使,折冲[⑧]口舌之间,足矣。

往年彭任从富公使还[⑨],为我言曰:“既出境,宿驿

亭[10]，闻介马[11]数万骑驰过，剑槊[12]相摩，终夜有声，从者怛[13]然失色。及明，视道上马迹，尚心掉[14]不自禁。”凡虏所以夸耀中国者，多此类也。中国之人不测也，故或至于震惧而失辞，以为夷狄笑。呜呼！何其不思之甚也！昔者奉春君使冒顿[15]，壮士、健马皆匿不见，是以有平城之役[16]。今之匈奴，吾知其无能为也。孟子曰：“说大人，则藐之[17]。”况于夷狄！请以为赠。

【注释】

①啖：给人吃。《汉书·王吉传》：“吉妇取枣以啖吉。”

②狎：亲近。《左传》：“宋华弱与乐辔，少相狎，长相优，又相谤也。”

③句读(dòu)：文句中停顿之处。属对：诗文对仗。

④摧折：犹折节也，言顿改其旧所为也。《魏略》：徐庶少好任侠击剑，中平末，为人报仇，得脱，折节学问。《北齐书》：魏收折节读书，以文华显。

⑤长安：古都城也，名始于汉，今陕西西安。

⑥《宋史·职官志》：翰林为内制，中书为外制，谓之两制。

⑦旆(pèi)：旌旗。

⑧折冲：克敌制胜。《晏子春秋》：不出樽俎之间，而折冲千里之外。

⑨彭任：字有道，宋岳池人，庆历初，富弼使契丹议岁币，任与偕行。

⑩驿亭：驿站所设的供行旅止息的处所。古时驿传有亭，故称。

⑪介马：被甲之马。《左传·成公二年》：“齐侯曰：‘余姑翦灭此，而后朝食。’不介马而驰之。”

⑫槊(shuò)：长矛。

⑬怛(dá)：惊惧。

⑭掉：摇也。

⑮冒顿(mò dú)：汉初匈奴单于名。

⑯平城：汉县名，故城在今山西大同东。汉高祖闻韩王信与匈奴欲击汉，使人觇之，冒顿匿其壮士肥牛马，但见老弱及羸畜，使者十辈来，皆言匈奴可击。帝使奉春君刘敬复往，还报曰："此必欲见短，伏奇兵争利，不可击也。"帝不听。遂至平城。冒顿纵精兵四十万骑，围帝于白登，七日围乃解。

⑰《孟子·尽心下》："说大人则藐之，勿视其巍巍然。"注：藐焉而不畏之，则志意舒展，言语得尽也。

【译文】

昌言考进士时，我只有几岁，还没开始学习。回忆当年我跟一群孩子在父亲身边嬉戏玩耍，昌言从旁边拿来枣子和栗子给我吃。我们两家住得很近，又因为是亲戚的缘故，所以十分亲昵。昌言去考进士，一天比一天出名。我后来渐渐长大，也稍稍懂得要读书，学习句读、对仗、声律，结果没有学成就停止了。昌言听说我停止学习，虽然没有说什么，但细察他的意思是非常遗憾的。后来过了十多年，昌言进士及第，考中第四名，便到全国各地做官，彼此也就没了音讯。我日渐成长壮大，才感到懊悔，便痛改前非而重新学习。又过了几年，我游历京城，在长安遇到了昌言，便彼此慰问，欢乐融洽就如往常一样。我拿出十多篇文章，昌言看了很高兴，并且夸赞我写得好。我很晚才开始学习，没有老师指导，虽天天作文，内心还是十分惭愧，等听到昌言的话，于是颇为自喜。

到现在又有十多年了，我再次来到京城。而昌言已经身居翰林中书，作为天子的使者出使到万里之外桀骜不驯的契丹朝廷，树立起大旗，随行的骑士有几百人，送行的车辆有上千乘，走出京城大门时，情绪慷慨激昂。我想起孩童时，见到昌言在先父身旁，哪里知道他能够这样呢！一个人富贵起来并不值得诧异，而我对昌言的富贵，特别有感触。大丈夫今生不能够当将军，能为使臣，用口舌辞令战胜敌人，也足够了。

前些年彭任跟随富公出使契丹，曾对我说："出了国境之后，在驿亭住宿，听到披甲的战马几万骑奔驰而过，宝剑和长矛摩擦撞击，整夜不绝于耳，跟随的人都惊慌失色。等到天亮了，看见道路上的马蹄印，尚且心有余悸而不能控制自己。"大凡契丹用来向中国炫耀武力的手段，大多是这样。中国的使者没有识破，因此有的人甚至震惊害怕到言辞失当，被夷狄耻笑。唉！真是一点都不用心思考啊！过去奉春君刘敬出使匈奴，冒顿单于命人将壮士、健马都藏起来不让他看见，因此才有平城之战。现今的契丹，我就深知他们没有什么能力可以有所作为了。孟子说："向位高显贵的人说话，要藐视他。"更何况对待夷狄呢！请以这些话权作临别赠言。

仲兄文甫字说

【题解】

本文是一篇著名的文论，作者表面上是在谈二哥苏涣改字文甫的理由，实际上借题发挥，以自然界中的风与水为喻，详细论述了他对文学创作的认识。

【原文】

洵读《易》至《涣》之六四，曰："涣其群，元吉[①]。"曰："嗟夫！群者，圣人所欲涣以混一天下者也。盖余仲兄名涣，而字公群，则是以圣人之所欲解散涤荡者以自命也，而可乎？"他日以告，兄曰："子可无为我易之？"洵曰："唯。"既而曰："请以文甫易之，如何？"

且兄尝见夫水之与风乎？油然而行，渊[②]然而留，渟洄[③]汪洋，满而上浮者，是水也，而风实起之。蓬蓬[④]然而发乎太空，不终日而行乎四方，荡乎其无形，飘乎其远来，既往而不知其迹之所存者，是风也，而水实形之。今夫风水之相遭乎大泽之陂也[⑤]，纡余委蛇[⑥]，蜿蜒沦涟[⑦]，安而相推，怒而相凌，舒而如云，蹙而如鳞，疾而如驰，徐而如缅[⑧]，揖让旋辟[⑨]，相顾而不前。其繁如縠[⑩]，其乱如雾，纷纭郁扰[⑪]，百里若一。汨乎顺流，至乎沧海之滨，磅礴汹涌[⑫]，号怒相轧[⑬]，交横绸缪[⑭]，放乎空虚，掉乎无垠[⑮]，横流逆折，濆旋倾侧，宛转胶戾[⑯]，回者如轮，萦者如带，直者

如燧[17],奔者如焰,跳者如鹭,跃者如鲤,殊状异态,而风水之极观备矣!故曰:"风行水上涣。"此亦天下之至文也。

然而此二物者,岂有求乎文哉?无意乎相求,不期而相遭,而文生焉。是其为文也,非水之文也,非风之文也。二物者,非能为文,而不能不为文也。物之相使而文出于其间也,故曰此天下之至文也。

今夫玉非不温然美矣,而不得以为文;刻镂组绣[18],非不文矣,而不可以论乎自然。故夫天下之无营而文生之者,唯水与风而已。昔者君子之处于世,不求有功,不得已而功成,则天下以为贤;不求有言,不得已而言出,则天下以为口实[19]。呜呼!此不可与他人道之,唯吾兄可也。

【注释】

①《吕氏春秋》云:"涣者,贤也。群者,众也。元者,吉之始也。涣其群元吉,其佐多贤也。"

②渊:深潭。《管子·度地》:水出地而不流者,命曰渊。

③渟:水止也。洄:水流貌。

④蓬蓬:盛貌。《诗·小雅》:"维柞之枝,其叶蓬蓬。"

⑤陂:《集韵》作"波"。《诗》:"彼泽之陂。"

⑥纡余:言曲而旷也。司马相如赋:"纡余逶迤。"委蛇:自得之貌。《诗》:"退食自公,委蛇委蛇。"

⑦蜿蜒:屈曲之状。李尤《德阳殿赋》:"连壁组之润漫,杂虬文之蜿蜒。"《诗·魏风》:"河水清且沦猗。"注:沦,小风拂水成文,转如轮

也。又“河水清且涟猗”。注：涟，风行水成文也。

⑧缅：微丝。

⑨旋辟：逡巡。

⑩縠(hú)：有皱纹的纱。

⑪纷纭：乱也。郁：滞也。扰：乱也。

⑫磅礴：充塞也。韩愈文：“磅礴而郁积。”《庄子》：“磅礴万物。”汹涌：水声。司马相如《上林赋》：“汹涌澎湃。”

⑬轧(yà)：排挤，倾轧。《庄子·人间世》：“名也者，相轧也。”

⑭绸缪：犹缠绵也。《诗·唐风》：“绸缪束薪。”

⑮垠(yín)：边。《楚辞·远游》：“其小无内兮，其大无垠。”

⑯胶戾：回环曲折。

⑰古时积薪，有寇则燔之，曰燧。直者如燧，谓水之起，其状似燧火之燔而上起也。

⑱组绣：华丽的丝绣服饰。

⑲口实：犹俗言话柄。《书·仲虺之诰》：“予恐来世，以台为口实。”

【译文】

我读《周易》到《涣》卦的第四爻，卦辞说：“能为群物消除祸患，大吉大利。”我说：“唉！群物的各种祸患，是圣人要消除掉以便统一天下的。我的二哥名叫涣，表字公群，那么就是以圣人所要解散、消除的各种祸患来给自己命名的，这可以吗？”有一天，我把这个想法告诉了二哥，二哥说：“你可不可以替我改一下字？”我说：“好。”过了不久我说：“请用文甫来代替原来的字，怎么样？”

兄长可曾见过那水与风吗？流起来显得舒缓，停下来显得深邃，波平浪静、宽广无际，满溢而向上浮动的，这就是水啊，但实际上是风将它吹起。从天空中发出来蓬蓬飘动，不到一天就走遍四方，摇摇荡荡没有形状，从远方飘然而来，已经过去了却不知道它的踪迹所在，这就是风啊，但实际上它是通过水来显现形状。现在风和水在湖泽的岸边相遇，水势迂回曲折，水波蜿蜒起伏，安静时就相互推动，发怒时就相互对抗，舒展时就像云彩，收缩时就像鱼鳞，急促时就像骏马奔腾，缓慢时就像细丝，彼此退让，旋转回避，互相注视，不肯向前。它繁密的样子就像有皱纹的纱，它混乱的样子就像烟雾弥漫，杂乱无章，丛聚纷乱，百里以内都是一样。水势湍急，顺流而下，到达大海之滨，波澜壮阔，浪涛汹涌，风水怒号着相互侵轧，纵横交错，彼此缠绕，在天空中恣意放纵，在无边无际的海上翻滚摆动，横着流过去又倒着折回来，大水喷涌回旋，向一边倾斜，水浪回环曲折，回旋的像车轮，萦绕的像腰带，直立的像烽烟，奔涌的像火焰，跳动的像白鹭，腾跃的像鲤鱼，奇形怪状、千姿百态，风与水最值得观赏的景象全都展现出来了！所以《涣》卦的卦辞说："风从水上吹过就是涣。"这也是天下最好的文章！

然而风和水这两种事物，难道是有意要形成文章的吗？它们并不是有意形成文章，事先未经约定就相遇了，而文章就产生出来了。这样出现的文章，既不是水产生的文章，也不是风产生的文章。这两样东西，并不能作文章，然而又不能不作出文章。事物相互作用而文章就产生在它们中间，所以说这是天下最好的文章。

现在的玉并不是不温润美丽，然而它不能形成文章；雕刻、刺绣的工艺品，并不是不能产生文章，却不能把这样的文章和天然形成的文章相提并论。所以全天下无须刻意经营就能产生文章的，只有水和风而已。以前的君子生活在世间，不追求立功，在不得已的情况下却功成名就了，那么天下人就认为他是个贤人；不追求立言，在不得已的情况下言论却流传了，那么天下人就把这些作为谈话的资料。唉！这种道理是不能对别人讲的，只有同我的哥哥可以说一说。

名二子说

【题解】

在本文中,作者主要阐释了为两个儿子取名的缘由,揭示了所取名字的深刻内涵,表达了对爱子的劝诫与期望。

【原文】

轮辐盖轸①,皆有职乎车,而轼②独若无所为者。虽然,去轼则吾未见其为完车也。轼乎!吾惧汝之不外饰也。

天下之车莫不由辙③,而言车之功,辙不与焉。虽然,车仆马毙,而患不及辙。是辙者,善处乎祸福之间也。辙乎!吾知免矣。

【注释】

①辐:车轮中直木,内辏于毂,外入于牙者。《说文》:轸,车后横木也。

②轼:车前横木。《释名》:"轼,式也,所伏以式敬者也。"

③辙:车轮所辗迹也。

【译文】

车轮、辐条、车盖和车厢底部四面的横木,它们在车上都有重要的作用,可唯独车厢前的横木——轼,好像没有什么用处。虽然如此,要是去掉轼,那么就算不得一辆完整的车了。苏轼啊!我害怕的是你过分显露自己而不注意掩饰自己的外表。

天下所有的车都从车走过的痕迹——辙上轧过，而讲到车的功绩，车辙是不相干的。虽然如此，车倒了马死了，灾祸也不会殃及到车辙。这车辙呀，善于处在祸福之间。苏辙啊！我料知你能免除灾祸了。

苏轼文

前赤壁赋

【题解】

文章描绘出了一幅如诗如画的赤壁秋夜图，表达了作者怡情造化、乐观旷达的人生态度。

【原文】

壬戌[1]之秋，七月既望，苏子与客泛舟游于赤壁[2]之下。清风徐来，水波不兴。举酒属[3]客，诵明月之诗，歌窈窕之章[4]。少焉，月出于东山之上，徘徊于斗牛[5]之间。白露横江，水光接天。纵一苇[6]之所如，凌万顷之茫然。浩浩乎如冯虚御风[7]，而不知其所止；飘飘乎如遗世独立，羽化而登仙[8]。于是饮酒乐甚，扣舷[9]而歌之。歌曰："桂棹兮兰桨[10]，击空明兮溯流光[11]。渺渺[12]兮予怀，望美人兮天一方。"

客有吹洞箫者[13]，倚歌而和之，其声呜呜[14]然，如怨如慕，如泣如诉，余音袅袅[15]，不绝如缕。舞幽壑之潜蛟[16]，泣孤舟之嫠妇[17]。

苏子愀然[18]，正襟危坐，而问客曰："何为其然也？"客曰："'月明星稀，乌鹊南飞。'此非曹孟德之诗乎[19]？西望夏口[20]，东望武昌[21]，山川相缪[22]，郁乎苍苍，此非孟德之困

于周郎者乎[23]？方其破荆州，下江陵[24]，顺流而东也，舳舻[25]千里，旌旗蔽空，酾酒[26]临江，横槊赋诗[27]，固一世之雄也。而今安在哉？况吾与子，渔樵于江渚之上，侣鱼虾而友麋鹿，驾一叶之扁舟，举匏樽[28]以相属。寄蜉蝣于天地[29]，渺沧海之一粟。哀吾生之须臾，羡长江之无穷。挟飞仙以遨游，抱明月而长终。知不可乎骤得，托遗响于悲风。”

苏子曰：“客亦知夫水与月乎？逝者如斯，而未尝往也；盈虚者如彼，而卒莫消长也。盖将自其变者而观之，则天地曾不能以一瞬[30]；自其不变者而观之，则物与我皆无尽也，而又何羡乎？且夫天地之间，物各有主，苟非吾之所有[31]，虽一毫而莫取。唯江上之清风，与山间之明月，耳得之而为声，目遇之而成色，取之无禁，用之不竭，是造物[32]者之无尽藏也。而吾与子之所共适。”客喜而笑，洗盏更酌。肴核[33]既尽，杯盘狼藉。相与枕藉乎舟中，不知东方之既白。

【注释】

①壬戌：宋神宗元丰五年（公元1082年）。

②赤壁：在今湖北赤壁市东北江滨，即吴周郎与曹操战处。顾祖禹《方舆纪要》云：“赤壁在嘉鱼县，其北岸相对者，为乌林，即周瑜焚曹操船处。苏轼指黄州之赤鼻山为赤壁，误。今江汉言赤壁者五：汉阳，汉川，黄州，嘉鱼，江夏也。当以嘉鱼之赤壁为据。”

③属（zhǔ）：倾注。引申为劝酒。

④《诗经·陈风·月出》：“月出皎兮，佼人僚兮。舒窈纠兮，劳心悄

兮。”李维桢曰：“月出皎兮，喻美色之洁白。窈纠，言其姿之舒。佼人，美人。东坡借此而赋，亦谗在位之不好德也。”

⑤斗牛：古二十八星宿中的斗宿和牛宿。

⑥《诗经·卫风·河广》：“谁谓河广？一苇杭之。”苇，蒹葭之属，今以一苇喻小舟。

⑦冯(píng)虚御风：冯，同“凭”。《庄子·逍遥游》：“列子御风而行，泠然善也。”

⑧羽化而登仙：羽化，飞升成仙。《晋书·许迈传》：“(葛)玄自后莫测所终，好道者皆谓之羽化矣。”

⑨舷：船边。

⑩舟中前推者曰“桨”，后推者曰“棹”。

⑪秋水清见底，月在水中，谓之“空明”。月光与波俱动，谓之“流光”。摇桨曰“击”，逆水而上曰“溯”。

⑫渺渺：远貌，谓望同朝之君子，在天之一方。

⑬无底者为洞箫。东坡《与范子丰书》云：“今日李委秀才来相别，因以小舟载酒，饮赤壁下。李善吹笛，酒酣作数弄，风起水涌，大鱼皆出，上有栖鹘。坐念孟德公瑾，如昨日耳。”此所谓客者，当即李委秀才也。

⑭呜呜：歌呼声。李斯《谏逐客书》：“夫击瓮叩缶，弹筝搏髀，而歌呼呜呜快耳目者。”

⑮袅袅：悠扬貌。

⑯李维桢曰：“吹箫而潜蛟亦舞，喻己潜伏于谪所也。”

⑰嫠(lí)妇：寡妇。李维桢曰：“寡妇闻此亦泣，喻己孤立不得于君也。”

⑱愀(qiǎo)然：忧伤的样子。《礼·哀公问》：“愀然作色。”

⑲孟德：曹操字。曹操《短歌行》曰："月明星稀，乌鹊南飞，绕树三匝，何枝可依？"

⑳夏口：今属湖北武汉。

㉑武昌：今湖北鄂州。

㉒缪：同"缭"，围绕。

㉓建安十三年（公元 208 年）九月，曹公入荆州，刘琮举众降曹，公得其水军船步兵数十万，将士闻之皆恐，劝吴王权迎降。独瑜深以为不可，请进军夏口。时刘备遣诸葛亮诣权，权遂遣瑜及程普等与备并力逆曹操，遇于赤壁。瑜部将黄盖谓操军方连船舰，可烧而走。乃取蒙冲斗舰数十艘，实以薪草，灌油其中，裹以帷幕，上建牙旗。先以书遗曹操，诈云欲降。盖放诸船，同时发火。时东南风急，延烧岸上营落。顷之，烟炎张天，人马烧溺死者大半，操遂败走。

㉔建安十二年（公元 207 年）秋七月，公南征刘表。八月，表卒，其子琮代屯襄阳，刘备屯樊。九月，公到新野，琮遂降。备走夏口，公进军江陵，自江陵至赤壁，战不利，乃还。荆州，东汉州名，治所在今湖南常德。江陵，今湖北江陵。

㉕舳舻（zhú lú）：船尾曰舳，船头曰舻。泛指船只。

㉖酾（shī）酒：斟酒。

㉗横槊赋诗：唐元稹云："曹氏父子鞍马间为文，往往横槊赋诗。"

㉘匏樽：匏制成的酒樽。

㉙蜉蝣：虫名。夏秋时，多近水而飞，往往数小时即死，故有朝生暮死之说。

㉚瞬：眨眼，眼球一动。

㉛李维桢曰："谓轩冕冠带之类。"

㉜造物：造化。

㉝肴核：肉类和果类食品。

【译文】

壬戌年(这里指宋元丰五年，公元1082年)的秋天，七月十六日，我和客人们划着船到赤壁的下面游玩。清风徐徐吹来，江面波澜不起。我举杯劝客人同饮，吟诵《诗经·陈风·月出》中的诗句，歌唱“窈窕”这一篇章。过了一会儿，月亮从东山上面升起，在斗、牛二星之间徘徊。白茫茫的雾气笼罩江面，映着月色的水光和天上的月光融成一片。我们听任苇叶般的小船，自由自在地漂浮在茫茫无际的江面。在辽阔的江中好像要凌空乘风飞去，不知道会停在哪里；飘飘忽忽如同脱离了尘世，有如道家羽化成仙。这时候，大家喝酒喝得高兴起来，扣着船舷应声高歌。歌词是：“桂木做的棹啊兰木做的桨，击破清澈透明的江水啊，让船儿溯着浮动的波光逆流而上。恍惚渺茫啊，我的情怀；想着心中的美人啊，天各一方。”

客人中有个会吹洞箫的，随着歌声的旋律伴奏起来，箫声呜咽，好像含着幽怨又像怀着思慕，如泣如诉，余音袅袅，不绝如缕。简直能使潜藏深渊的蛟龙闻声起舞，使独居在孤舟上的寡妇哀哀哭泣。

我听了不禁动容，正襟危坐，问客人道：“箫声为什么这样凄凉？”客人说：“‘月明星稀，乌鹊南飞。’这不是曹操的诗吗？西望夏口，东望武昌，山川环绕，郁郁葱葱，这不是曹操被周瑜击败的地方吗？当时曹操攻破荆州，打下江陵，顺长江东下的时候，战船首尾相接绵延千里，旌旗遮蔽天空，在船上洒酒祭江，横握着长矛赋诗，本来是当世的英雄人物。现在又在哪里呢？何况我和你，像渔夫、樵夫一样生活在江湖山野之间，和鱼虾做伴侣，与麋鹿交朋友，驾着一叶扁舟，举着酒杯互相劝酒。像蜉蝣一样在天地间寄托着短暂的生命，渺小得像汪洋大海中的一粒粟。哀叹我们生命的短暂，羡慕长江不停地奔流。希望能和仙人一起遨游，想要和明月一样不朽。我知道这一切不可能一下子就得到，只好在秋风中借箫声寄愁。”

我说：“您可也知道那江水和月亮的规律吗？江水虽然这样不停地流，但长江并没有流走；月亮老是这样一会儿圆一会儿缺，但它本身始终没有丝毫的增减。如果从事物变化的一面来看，那么天地万物还不到一眨眼的功夫就发生了改变；从事物不变的一面来看，万物与我都是无穷无尽的长久存在着，那我又何必羡慕它们呢？何况天地之间，万物各有其主，如果不是我应该拥有的东西，即使一丝一毫也不去取。只有这江上的清风，和山间的明月，耳朵听到的就成为声音，眼睛看到的就成为颜色，取走它们无人禁止，使用它们不会枯竭，这是大自然恩赐的无尽的宝藏啊！是我和你可以共同享受的。”客人高兴地笑了，洗净酒杯重新斟酒。菜肴和果品都被吃光了，杯盘狼藉。大家相互枕着垫着睡在船上，不知不觉东方已经发白。

后赤壁赋

【题解】

文章描写了赤壁冬夜的景观，营造出一种萧瑟凄迷的意境，反映作者孤寂难诉的心境。

【原文】

是岁[1]十月之望，步自雪堂[2]，将归于临皋[3]。二客从予，过黄泥之坂[4]。霜露既降，木叶尽脱。人影在地，仰见明月。顾而乐之，行歌相答。已而叹曰："有客无酒，有酒无肴，月白风清，如此良夜何？"客曰："今者薄暮，举网得鱼，巨口细鳞，状如松江之鲈[5]，顾安所得酒乎？"归而谋诸妇，妇曰："我有斗酒，藏之久矣，以待子不时之须。"于是携酒与鱼，复游于赤壁之下。江流有声，断岸千尺。山高月小，水落石出。曾[6]日月之几何，而江山不可复识矣！

予乃摄衣而上，履巉岩[7]，披蒙茸[8]，踞虎豹[9]，登虬龙[10]，攀栖鹘之危巢[11]，俯冯夷之幽宫[12]。盖二客不能从焉。划然长啸，草木震动，山鸣谷应，风起水涌。予亦悄然而悲，肃然而恐，凛乎其不可留也。反而登舟，放乎中流，听其所止而休焉。时夜将半，四顾寂寥。适有孤鹤，横江东来，翅如车轮，玄裳缟衣[13]，戛然长鸣，掠[14]予舟而西也。

须臾客去，予亦就睡。梦一道士，羽衣蹁跹[15]，过临皋之下，揖予而言曰："赤壁之游乐乎？"问其姓名，俯而不答。"呜呼噫嘻，我知之矣！畴昔之夜，飞鸣而过我者，非子也邪？"道士顾笑，予亦惊寤。开户视之，不见其处。

【注释】

①是岁：宋神宗元丰五年(公元1082年)。

②子瞻年四十七，在黄州居临皋亭，就东坡作堂焉。堂以大雪中为之，因绘雪于四壁之间，故名之曰"雪堂"。

③临皋：在今湖北黄冈南大江滨。

④黄泥之坂：自雪堂至临皋之路也。

⑤上海松江产四鳃鲈，长仅五六寸。晋张翰因秋风起，思吴中菰菜莼羹鲈鱼脍，曰："人生贵得适志，何能羁官数千里，以要名爵乎？"遂命驾而归。《隋唐嘉话》云：吴郡献松江鲈鱼鲙，炀帝曰：东南之佳味也。

⑥曾(céng)：尝，表示从前经历过。

⑦巉(chán)岩：一种陡而隆起的岩石。

⑧披：开也。蒙茸：乱貌。

⑨石类虎豹之状，踞而坐其上。

⑩古木有类虬龙者，攀而登其上。

⑪鹘：鸷鸟也。危巢：高巢也。

⑫冯夷：华阴人，服八石得水仙，是为河伯。言俯而窥冯夷于深渊之幽宫。

⑬鹤身白而尾足黑，故以玄裳缟衣为喻。

⑭掠：拂过也。

⑮蹁跹(pián xiān):旋行貌。

【译文】

这一年的十月十五日,我从雪堂出来,准备回到临皋。有两位客人与我一起走,经过黄泥坂。霜露已经降临,树叶都掉光了。我们的身影在地上移动,抬头看见一轮明月挂在天上。彼此相看而感到心情愉快,于是一边走一边唱歌相和。过了一会儿我叹息说:"有客人却没有酒,有酒却没有菜,月色皎洁,清风吹拂,这样美好的夜晚我们怎么度过呢?"有一位客人说:"今天傍晚的时候,我撒网捕到一条鱼,大嘴巴细鳞片,形状像松江的鲈鱼,可是到哪里去弄酒呢?"我就回去跟妻子商量,妻子说:"我有一斗酒,珍藏很久了,以备你临时的需要。"于是我们带着酒和鱼,再一次去赤壁下面游玩。江中的流水哗哗有声,断壁危岸有千尺之高。山高高的,月亮显得很小;水位下落,礁石便露出来了。时间并未过去多久,江山景物却再也认不出来了!

我就提起衣襟上岸,脚踏险峻的山岩,拨开杂乱的草木,蹲在像虎豹一样的怪石上,爬上虬龙般弯曲的古树,攀上猛禽筑巢的险峰,俯看河伯冯夷居住的深宫。然而两位客人却不能跟着我一起攀登了。我站在高处一声长啸,草木都被震动,山谷也产生了共鸣,大风吹起江水翻涌。我不禁暗自神伤,忽又感到一阵惊恐紧张,害怕得不敢再停留了。于是返回到小船上,将船划到江心,听任小船飘到哪里就在哪里停泊。这时已快到夜半,我向四周瞧瞧,到处冷冷清清。恰好有一只孤零零的鹤,从东边飞来横穿江面,它的翅膀像一对车轮,白身黑尾,发出嘎嘎的长鸣,掠过我们的船往西飞去。

过了一会儿,客人走了,我也回家睡觉。在梦中梦见一位道士,穿着羽毛制成的衣服轻盈飘逸地走来,经过临皋亭的下面,向我拱手作揖说："赤壁的游玩快乐吗？"我问他的姓名，他低着头不回答。"啊呀呀，我知道了！昨天夜里，边飞边叫着经过我船上的，不就是您吗？"道士回头对我笑笑，我也惊醒了。开门来看，不知道他到哪里去了。

始皇论

【题解】

本文是一篇政论。作者在文中论述了礼产生的背景、缘由及其社会功用，落到政治层面，作者认为，秦始皇统一天下后，废弃礼而一味贪图实用、便利，天下风气也随之变坏。

【原文】

昔者生民之初，不知所以养生之具，击搏挽裂，与禽兽争一旦之命，惴惴然朝不谋夕，忧死之不给，是故巧诈不生，而民无知。然圣人恶其无别，而忧其无以生也，是以作为器用、耒耜、弓矢、舟车、网罟[①]之类，莫不备至，使民乐生便利，役御万物而适其情，而民始有以极其口腹耳目之欲。器利用便而巧诈生，求得欲从而心志广。圣人又忧其桀猾[②]变诈而难治也，是故制礼以反其初。礼者，所以反本复始也[③]。圣人非不知箕踞[④]而坐，不揖而食，便于人情，而适于四体之安也。将必使之习为迂阔难行之节，宽衣博带，佩玉履舄[⑤]，所以回翔容与[⑥]，而不可以驰骤。上自朝廷，而下至于民，其所以视听其耳目者，莫不近于迂阔。其衣以黼黻[⑦]文章，其食以笾豆簠簋[⑧]，其耕以井田[⑨]，其进取选举以学校[⑩]，其治民以诸侯，嫁娶死丧莫不有法，严之以鬼神，而重之以四时，所以使民自尊而不轻为奸。故曰：礼之近于人情者，非其至也。周公、

孔子所以区区于升降揖让之间，丁宁反覆而不敢失坠者，世俗之所谓迂阔，而不知夫圣人之权，固在于此也。

自五帝、三代，相承而不敢破，至秦有天下，始皇帝以诈力而并诸侯，自以为智术之有余，而禹、汤、文、武之不知出此也。于是废诸侯，破井田，凡所以治天下者，一切出于便利，而不耻于无礼，决坏圣人之藩墙，而以利器明示天下。故自秦以来，天下惟知所以求生避死之具，而以礼者为无用赘疣[11]之物。何者？其意以为生之无事乎礼也。苟生之无事乎礼，则凡可以得生者，无所不为矣。呜呼！此秦之祸，所以至今而未息欤！

昔者始有书契，以科斗为文[12]，而其后始有规矩摹画之迹，盖今所谓大小篆者[13]。至秦而更以隶[14]，其后日以变革，贵于速成，而从其易。又创为纸[15]，以易简策。是以天下簿书符檄，繁多委压，而吏不能究，奸人有以措其手足。如使今世而尚用古之篆书简策，则虽欲繁多，其势无由。由此观之，则凡所以便利天下者，是开诈伪之端也。嗟夫！秦既不可及矣，苟后之君子欲治天下，而惟便利之求，则是引民而日趋于诈也，悲夫！

【注释】

①罟(gǔ)：捕鱼网。

②桀猾：凶黠也。

③《礼记》："礼也者，反本修古，不忘其初者也。"

④箕踞：谓伸两脚其形如箕。《汉书·陈余传》："高祖箕踞骂詈。"

⑤舄(xì)：木底鞋，古时最尊贵的鞋。

⑥容与：闲暇自得之貌。

⑦黼黻(fǔ fú)：衣裳绘绣之纹也。

⑧笾：古祭祀宴飨用以盛果脯，形略与豆同，以竹为之。豆：亦祭祀所用，以盛醢酱濡物，以木为之，刻镂而髹以漆。簠(fǔ)：祭祀宴飨以盛稻粱，以木为之，长方形。簋(guǐ)：祭祀宴飨以盛黍稷，以木为之，其形圆。

⑨井田：周制授田之法。《孟子》："方里而井，井九百亩，其中为公田，八家皆私百亩，同养公田。"

⑩学校：皆古国学也。《孟子》："夏曰校，殷曰序，周曰庠，学则三代共之。"

⑪赘疣：皮肤上赘生之结肉也。《庄子》："附赘县疣，出乎形哉，而侈于性。"

⑫科斗：蛤蟆子也，头大尾细，古书形似之，故曰科斗文。

⑬相传周宣王时，史籀作大篆，故亦曰籀文。秦相李斯作小篆。

⑭相传秦程邈作隶书。

⑮后汉和帝时，中常侍蔡伦，始以树肤、麻头、敝布、鱼网等造纸。

【译文】

在很久以前的人类社会早期，人们还不知道如何制作生产、生活工具，互相搏斗撕打，与动物争个你死我活，整天惶恐不安，朝不保夕，担心丧命尚且来不及，所以机巧伪诈还没有出现，百姓浑朴无知。然而圣人觉得这样跟动物没什么区别，又担心他们没办法生存，所以制作器皿、农具、弓箭、车船、渔网等，什么都很齐全，使人觉得便利，以生为乐，役使万物，顺适性情，人类才开始能够满足口腹耳目的欲望。使用器具带来便利，机巧伪诈就伴随而生；要求达到、欲望得到满足，人就变得贪婪起来。圣人又担心人类变得凶狠狡诈而难以治理，所以又制订礼让人心返回初始的状态。礼，就是用来让人回归纯真质朴的。圣人并不是不知道伸开两腿坐着，不行礼就吃饭，这样更符合人的心愿，而且身体也更舒服。一定要让人们去遵守不切实际又难以施行的礼节，穿宽大的衣服，佩玉穿鞋，就是使人举止得体，而不鲁莽草率。上自朝廷，下到平民百姓，人们眼睛看到的耳朵听到的，几乎哪样都是不实用的。穿的衣服要绣上华丽的花纹图饰，吃饭要使用笾、豆、簠、簋等礼器，耕种要采用井田制，选拔任用官吏要依靠学校，治理百姓要分封诸侯，婚丧嫁娶都有固定的程序仪式，对鬼神要敬畏，对四时要重视，所有这些都是为了让百姓爱惜自己而不轻易做坏事。所以说：符合人之常情的礼，不是最高的礼。周公、孔子在举止进退这些细微的礼上格外用心，反复嘱托而不敢废弃，世俗认为这些是不切实际的，却不知道圣人所看重的，恰恰就是这些。

从五帝到夏商周三朝，这些礼世代相承而不敢废弃，到了秦统一天下，始皇帝凭着伪诈和武力兼并诸侯，自以为富有智谋权术，而夏禹、商汤、周文王和周武王却不懂得使用权谋。于是废除分封制，破坏井田制，治理天下的手段，都采用最方便最有利的，并不以没有礼为耻，破坏圣人制定的礼仪规距，向全天下公然炫耀武力。所以从秦朝以来，天下人只知道可以用来躲避死亡、活命的手段，而把礼看成是没用的多余的东西。为什么呢？他们认为人活着是不必讲究礼的。如果人活着不讲究礼，那么只要能保全性命，什么事都做得出来。唉！这是秦余留下来的祸患，到现在也没有止息啊！

从前刚刚出现文字的时候，使用的是蝌蚪文，后来才逐渐有了摹写得比较规整的字迹，就是现在所说的大篆和小篆。到了秦朝改用隶书，后来又一改再改，一味追求快速便捷，而采用易于书写的文字。

又发明了纸，以取代竹制的简策。所以天下的簿册文书，越积越多，官吏无法详细查究，给了坏人做坏事的机会。如果现在仍然使用古时候的篆书和简策，那么即使想让文书多起来，也是没有办法的。由此看来，凡是能给天下带来便利的物品，是产生欺诈的根源。唉！让秦改变做法已经不可能了，后世的统治者想治理天下，如果也只贪图便利，就是引导百姓一天一天地学会欺诈，可悲呀！

伊 尹 论

【题解】

本文是一篇政论。作者在文中着重阐释了“办天下之大事者，有天下之大节者也”的观点，要求人们将儒家道德礼仪作为行为准则，这实际上也是作者自己的政治理想与追求。

【原文】

办天下之大事者，有天下之大节者也。立天下之大节者，狭天下者也。夫以天下之大，而不足以动其心，则天下之大节有不足立，而大事有不足办者矣。

今夫匹夫匹妇，皆知洁廉忠信之为美也。使其果洁廉而忠信，则其智虑未始不如王公大人之能也。惟其所争者，止于箪[①]食豆羹，而箪食豆羹足以动其心，则宜其智虑之不出乎此也。箪食豆羹，非其道不取，则一乡之人，莫敢以不正犯之矣。一乡之人，莫敢以不正犯之，而不能办一乡之事者，未之有也。推此而上，其不取者愈大，则其所办者愈远矣。

让天下与让箪食豆羹，无以异也。治天下与治一乡，亦无以异也。然而不能者，有所蔽也。天下之富，是箪食豆羹之积也；天下之大，是一乡之推也。非千金之子，不能运千金之资。贩夫、贩妇，得一金而不知其所措，非智不若，所居之卑也。

孟子曰："伊尹耕于有莘[②]之野，非其道也，非其义也，虽禄之以天下，弗受也。"夫天下不能动其心，是故其才全。以其全才而制天下，是故临大事而不乱。古之君子，必有高世之行，非苟求为异而已。卿相之位，千金之富，有所不屑，将以自广其心，使穷达利害，不能为之芥蒂[③]，以全其才，而欲有所为耳。后之君子，盖亦尝有其志矣，得失乱其中，而荣辱夺其外，是以役役至于老死而不暇，亦足悲矣！

孔子叙《书》至于舜、禹、皋陶相让之际，盖未尝不太息也。夫以朝廷之尊，而行匹夫之让，孔子安取哉？取其不汲汲[④]于富贵，有以大服天下之心焉耳。夫太甲之废，天下未尝有是，而伊尹始行之，天下不以为惊。以臣放君，天下不以为僭。既放而复立，太甲不以为专。何则？其素所不屑者，足以取信于天下也。彼其视天下眇然，不足以动其心，而岂忍以废放其君求利也哉？后之君子，蹈常而习故，惴惴焉惧不免于天下，一为希阔之行，则天下群起而诮之。不知求其素，而以为古今之变，时有所不可者，亦已过矣夫。

【注释】

①箪：盛饭竹器也。

②有莘：国名。《括地志》云："古莘国，在汴州陈留县东五里，故莘城是也。"陈留，今属河南开封。

③芥蒂：谓心胸有所梗也。

④汲汲：形容急切。

【译文】

能做天下大事业的人，是具备天下崇高节操的人。能树立天下崇高节操的人，是把天下看得很小很轻的人。以天下的广大，却不足以打动他的心，那么，天下的崇高节操就有不够他树立的，天下的大事业就有不够他做的了。

现在普通的平民百姓，都知道廉洁忠信是美好的。假使他们果真能做到廉洁忠信，那么他们的智慧、谋略未必不如王公大人所具有的能力。只是由于他们所争夺的，不过是一筐饭、一盘肉汤，而一筐饭、一盘肉汤就足以使他们动心，那么他们的智慧、谋略不会超出这个范围了。一筐饭、一盘肉汤，倘若没有正当的理由就不去取，那么一乡的人，就没有谁敢用不正当的手段来侵犯他了。一乡的人，没有谁敢用不正当的手段来侵犯他，而他却不能办好一乡的事情，是没有的。由此而向上推论，他不取的东西越大，那么他能办的事情就越大了。

辞让天下跟辞让一筐饭、一盘肉汤，没有什么区别。治理天下跟治理一乡，也没有什么两样。但是辞让天下便不能做到，是因为他们被蒙蔽了。天下的财富，是由一筐饭、一盘肉汤集聚起来的；天下的广大，是由一个乡推广而来的。不是富贵人家的子弟，就不能携带千金的资财。那些贩卖货物的普通百姓，得到一金都不知道怎么安置，不是他们的智力不如富家子弟，而是因为他们所处的地位卑下。

孟子说："伊尹在有莘国的郊野耕作，如果不合他的道，不合他的义，就是拿整个天下作为他的俸禄，他也不接受。"天下都不能打动他的心，所以他的才能全面。用他全面的才能来管理天下，所以面临大事就不会慌乱。古时候的君子，一定有超出世人的德行，并不是刻意追求与一般人不同。卿相这样的高位，价值千金的财富，也不放在心上，要用这个来使自己的心胸开阔，使得困顿与显达、利益与损失，都不能成为他心中的芥蒂，以完善他各个方面的才能，想要有所作为罢了。后代的君子，大概也曾有过他们这样的志向，但得与失扰乱了他的心，荣与辱又从外在影响他，所以劳劳碌碌直到老死也无暇顾及他的志向，也够可悲的了！

孔子编订《尚书》写到舜、夏禹、皋陶互相推让天下的时候，大概没有不叹息的了。如此尊贵的帝位，他们却像平民百姓那样推让，孔子怎么会看中他们呢？看中的是他们不热衷于功名利禄，可以使天下人的心完全折服罢了。太甲被废黜，天下未尝有过这种做法，而伊尹开始实行了，天下的人不感到惊讶。以臣子的身份放逐君主，天下的人不认为他僭越。已经放逐又重新迎立，太甲不认为他独断专行。为什么呢？因为天下是伊尹平时不屑一顾的东西，所以他能够取得天下人的信任。伊尹把天下看得十分渺小，不足以打动他的心，难道忍心用废黜放逐他的国君来求得好处吗？后代的君子，因袭老规矩老办法，心里惴惴不安，害怕得不到天下人的谅解，一做出不合常规的行为，天下的人就群起嘲讽他。不知道探求他平时的行为，却认为古今时代不同，这是现在不能去做的事，也已经错了啊！

留侯论

【题解】

本文是作者为数不多的议论文之一，作者在论述张良的成功之道时，不论他的智与谋，而格外推崇他的一种难得的心理特质——忍，认为能忍才是张良成就大事业的关键因素。可谓是独辟蹊径，发人之所未发。

【原文】

古之所谓豪杰之士者，必有过人之节，人情有所不能忍者。匹夫见辱，拔剑而起，挺身而斗，此不足为勇也。天下有大勇者，卒然临之而不惊，无故加之而不怒，此其所挟持者甚大，而其志甚远也。

夫子房受书于圯上之老人也[①]，其事甚怪，然亦安知其非秦之世，有隐君子者，出而试之？观其所以微见其意者，皆圣贤相与警戒之义。而世不察，以为鬼物，亦已过矣。且其意不在书。当韩之亡，秦之方盛也，以刀锯鼎镬[②]待天下之士，其平居无罪夷灭者，不可胜数，虽有贲、育[③]，无所复施。夫持法太急者，其锋不可犯，而其势未可乘。子房不忍忿忿之心，以匹夫之力，而逞于一击之间。当此之时，子房之不死者，其间不能容发，盖亦已危矣！千金之子，不死于盗贼，何者？其身之可爱，而盗贼之不足以死也。子房以盖世之才，不为伊尹、太公之谋，而特出于荆轲、聂政之计[4]，以侥幸于不死，此圯上老人之所为深惜者也。是故倨傲鲜腆[5]而深折之。彼其能有所忍也，然后可以就大事。故曰："孺子可教也。"

楚庄王伐郑，郑伯肉袒牵羊以迎。庄王曰："其君能下人，必能信用其民矣。"遂舍之[6]。勾践之困于会稽，而归臣妾于吴者，三年而不倦[7]。且夫有报人之志，而不能下人者，是匹夫之刚也。夫老人者，以为子房才有余，而忧其度量之不足，故深折其少年刚锐之气，使之忍小忿而就大谋。何则？非有平生之素，卒然相遇于草野之间，而命以仆妾之役，油然而不怪者，此固秦皇之所不能惊，而项籍之所不能怒也。观夫高祖之所以胜，而项籍之所以败者，在能忍与不能忍之间而已矣。项籍惟不能忍，是以百战百胜，而轻用其锋。高祖忍之，养其全锋，以待其弊，此子房教之也。当淮阴破齐而欲自王，高祖发怒，见于词色[8]。由此观之，犹有刚强不忍之气，非子房其谁全之？太史公疑子房以为魁梧奇伟，而其状貌乃如妇人女子[9]，不称其志气。呜呼，此其所以为子房欤！

【注释】

①《汉书·张良传》云：良尝闲从容步游下邳圯上，有一老父，衣褐，至良所，直堕其履圯下，顾谓良曰："孺子，下取履！"良愕然，欲殴之。为其老，乃强忍，下取履，因跪进。父以足受之，笑去。良殊大惊。父去里所，复还，曰："孺子可教矣。后五日平明，与我期此。"良因怪，跪曰："诺。"五日平明，良往。父已先在，怒曰："与老人期，后，何也？去，后五日蚤会。"五日，鸡鸣往。父又先在，复怒曰："后，何

也？去，后五日复蚤来。”五日，良夜半往。有顷，父亦来，喜曰：“当如是。”出一编书，曰：“读是，则为王者师。”遂去不见。旦日视其书，乃太公兵法。良因异之，常习诵。

②镬(huò)：古代的大锅。

③贲、育：孟贲、夏育，皆古勇士。

④荆轲：卫人，为燕太子丹客，献樊於期首，及燕地图于秦，以匕首刺秦王，不中，为秦所杀。聂政：战国人，严仲子使刺韩相侠累，政以母在不许。母死，为仲子刺杀侠累，乃自破面决眼屠肠而死。

⑤鲜腆：对地位低下的人无谦爱之意。

⑥《左传·宣公十二年》：春，楚子围郑。三月，克之，入自皇门，至于逵路。郑伯肉袒牵羊以逆，曰：“孤不天，不能事君，使君怀怒以及敝邑，孤之罪也，敢不唯命是听？”王曰：“其君能下人，必能信用其民矣，庸可几乎？”退三十里而许之平。

⑦越王勾践为吴所败，栖于会稽，令大夫种守于国，与范蠡入宦于吴，三年而吴人遣之。

⑧据《史记·淮阴侯列传》：韩信平齐，使人告汉王曰：“愿为假王”，汉王大怒，骂曰：“吾困于此，旦暮望若来佐我，乃欲自立为王。”张良、陈平蹑汉王足，因附耳语曰：“汉方不利，宁能禁信之王乎？不如因而立，善遇之，使自为守。”汉王悟，乃遣良往，立信为齐王。

⑨《史记·留侯世家》赞：“余以为其人计魁梧奇伟，至见其图，状貌如妇人好女，盖孔子曰：以貌取人，失之子羽。留侯亦云。”

【译文】

古代所说的英雄豪杰，一定有过人的节操。人们在感情上总有不能容忍的事情，一般的人受到侮辱，就会拔剑而起，挺身决斗，这不是勇。天下有大勇的人，突然遭到意外也不会惊慌，无缘无故受到侮辱也不会发怒。这是因为他的抱负宏大，志向高远。

张良在桥上接受老人的兵书，事情虽奇怪，然而又怎么知道那不是秦朝的隐士出来试试张良呢？观察老人用含蓄的手法来表明意图，都是圣人贤士互相警戒的道理。可是人们不加考察，把他当作鬼怪，这就是很荒谬的。况且老人的用意也不在于授书。当韩国灭亡、秦朝兴盛的时候，秦用刀锯鼎镬这样的酷刑来对待天下的读书人，平白无故被杀害的人，不计其数。虽然有孟贲、夏育那样的勇士，也没有施展本领的机会。执法太峻急的人，他的锋芒不可冒犯；而且当时的形势，也无机可乘。张良忍不住愤怒的心情，凭着个人的力量，想在一次伏击中达到目的。在那个时候，张良虽说没有送命，但与死仅差毫厘，实在太危险了！拥有千金的富贵子弟，不会死在盗贼的手上，这是为什么呢？因为他们知道自身的价值，不值得因为吝惜财物而死在盗贼手中。张良凭着盖世的才能不效法伊尹、姜太公的谋略，却采用荆轲、聂政的计策，侥幸逃生，这就是老人深感惋惜的原因，所以老人故意傲慢无礼，狠狠地摧折他的锐气。如果他能忍受奇耻大辱，就可以成就大事业。所以老人最后对他说："这位年轻人，值得教导！"

楚庄王攻打郑国，郑伯袒衣露体，牵着羊去迎接。庄王说："他们的国君能够屈居人下，一定能取信于民。"便放弃了对郑国的进攻。勾践被围困在会稽，后来投降吴国，做了奴仆，三年都不敢懈怠。何况人有报复别人的志向，却不能屈居人下的，是匹夫的刚勇。那位老人认为张良的才能有余，担心他的气量不足，因此狠狠地摧折他少年刚锐的勇气，使他能够忍小怒成就大谋。为什么呢？老人和张良向来没有交往，突然在野外相遇，而且命令他做奴仆的事情，张良顺从，没有怪罪老人。这也就是秦始皇不能让他惊慌、项羽不能让他发怒的原因。我看高祖之所以能够取得胜利，项羽之所以失败，就在于能忍与不能忍之间罢了。项羽因为不能忍耐，所以他虽然百战百胜，但轻易地消耗了他的兵力。高祖能够忍耐，保全了他的精锐部队，等待项羽实力的衰败。这就是张良教给他的方法。当韩信攻破齐国想当王时，高祖大发脾气，怒形于色。由此看来，高祖还是有刚强不能忍的脾气，如果不是张良，谁能成全他的大业呢？太史公猜想张良是一个身材魁梧，长相奇伟的人，可是他的相貌却像妇人，跟他的志向、气度不相称。唉！这就是他之所以成为张良的缘故啊！

论养士

【题解】

在本文中，作者借养士论述六国与秦汉两朝的为政得失，结尾高标先王为政之道，影射自己所处时世的取士政策。

【原文】

春秋之末，至于战国，诸侯卿相，皆争养士。自谋夫说客、“谈天”“雕龙”[1]、“坚白”“同异”之流[2]，下至击剑扛鼎[3]、鸡鸣狗盗之徒[4]，莫不宾礼。靡衣玉食以馆于上者，何可胜数。越王勾践，有君子六千人；魏无忌[5]、齐田文[6]、赵胜[7]、黄歇[8]、吕不韦[9]，皆有客三千人。而田文招致任侠奸人六万家于薛[10]，齐稷下谈者亦千人[11]；魏文侯[12]、燕昭王[13]、太子丹[14]，皆致客无数。下至秦汉之间，张耳、陈余号多士[15]，宾客厮养，皆天下豪杰，而田横亦有士五百人[16]。其略见于传记者如此，度其余，当倍官吏而半农夫也。此皆奸民蠹国者，民何以支，而国何以堪乎？

苏子曰：此先王之所不能免也。国之有奸也，犹鸟兽之有鸷猛，昆虫之有毒螫也。区处条理，使各安其处，则有之矣；锄而尽去之，则无是道也。吾考之世变，知六国之所以久存，而秦之所以速亡者，盖出于此，不可以不察也。夫智、勇、辩、力，此四者，皆天民之秀杰者也，类不能恶衣食以养人，皆役人以自养者也。故先王分天下之富

贵,与此四者共之。此四者不失职,则民靖矣。四者虽异,先王因俗设法,使出于一。三代以上出于学,战国至秦出于客,汉以后出于郡县吏,魏晋以来出于九品中正[17],隋唐至今出于科举,虽不尽然,取其多者论之。

六国之君,虐用其民,不减始皇、二世,然当是时,百姓无一人叛者,以凡民之秀杰者,多以客养之,不失职也。其力耕以奉上,皆椎鲁[18]无能为者,虽欲怨叛,而莫为之先,此其所以少安而不即亡也。

始皇初欲逐客,用李斯之言而止[19]。既并天下,则以客为无用,于是任法而不任人,谓民可以恃法而治,谓吏不必才取,能守吾法而已。故堕名城,杀豪杰,民之秀异者,散而归田亩。向之食于四公子、吕不韦之徒者,皆安归哉?不知其能槁项黄馘[20]以老死于布褐乎,抑将辍耕太息以俟时也[21]?秦之乱,虽成于二世,然使始皇知畏此四人者,有以处之,使不失职,秦之亡,不至若是速也。纵百万虎狼于山林而饥渴之,不知其将噬人,世以始皇为智,吾不信也。

楚汉之祸,生民尽矣,豪杰宜无几,而代相陈豨[22],从车千乘,萧、曹[23]为政,莫之禁也。至文、景、武之世,法令至密,然吴濞、淮南、梁王、魏其、武安[24]之流,皆争致宾客,世主不问也。岂惩秦之祸,以为爵禄不能尽縻天下士,故少宽之,使得或出于此也耶?若夫先王之政则不然,曰:“君子学道则爱人,小人学道则易使也。”呜呼,此岂秦汉之所及也哉!

【注释】

①《史记·孟子荀卿列传》:"谈天衍,雕龙奭。"注:邹衍善言天事,故曰谈天。邹奭修衍之文,饰若雕镂龙文,故曰雕龙。

②"坚白""同异":指战国时公孙龙子的"离坚白"与惠施的"合同异"之说。对"坚白石"之命题,公孙龙子认为"坚"与"白"是脱离"石"而独立存在的实体,夸大了事物间的差别性而抹杀了其统一性;惠施看到事物间的差异和区别,但以"合同异"之说否定差别的客观存在。两者都强调事物的一个方面,而否定其他方面。

③击剑:特谓荆轲。《史记·刺客列传》:"荆卿好读书击剑,以术说卫元君,卫元君不用。"扛鼎:特谓项羽。《史记·项羽本纪》:"籍长八尺余,力能扛鼎。"

④鸡鸣狗盗:《史记·孟尝君列传》:"(秦昭王)囚孟尝君,谋欲杀之。孟尝君使人抵昭王幸姬求解,幸姬曰:'妾愿得君狐白裘。'此时孟尝君有一狐白裘,直千金,天下无双,入秦献之昭王,更无他裘。孟尝君患之,遍问客,莫能对。最下坐有能为狗盗者,曰:'臣能得狐白裘。'乃夜为狗,以入秦宫藏中,取所献狐白裘至,以献秦王幸姬。幸姬为言昭王,昭王释孟尝君。孟尝君得出,即驰去……夜半至函谷关。秦昭王后悔出孟尝君,求之,已去。即使人驰传逐之。孟尝君至关,关法鸡鸣而出客,孟尝君恐追至,客之居下坐者有能为鸡鸣,而鸡尽鸣,遂发传出。"

⑤魏无忌:即信陵君。

⑥齐田文:即孟尝君。

⑦赵胜:即平原君。

⑧黄歇:即春申君。

⑨吕不韦:秦相,封文信侯。

⑩孟尝君封于薛(今山东滕州东南)。

⑪稷下:地名,在今山东临淄北,齐古城西。《史记》:宣王喜文学,是以齐稷下学士复盛,且数百千人。

⑫魏文侯:名斯,曾事子夏,礼段干木,有好贤之名。

⑬燕昭王:名平,立黄金台以招贤士,师事郭隗,用乐毅。

⑭太子丹:燕王喜之太子,使荆轲刺秦王不成,秦发兵击燕,燕王喜斩丹以献。

⑮张耳、陈余:皆大梁人。《史记》:"张耳、陈余,世传所称贤者,其宾客厮役,莫非天下俊杰,所居国无不取卿相者。"

⑯田横:田儋、田荣弟。齐灭,横与徒属五百人入海居岛中。汉高祖使人召之,横行未至洛阳,自杀,余五百人在海中闻横死,亦皆自杀。

⑰魏文帝立九品官人之法,州县皆置中正,区别人物,以九等第其高下,吏部据以铨授,其制至隋开皇中方罢。

⑱椎鲁:愚钝也。

⑲李斯为秦客卿,大臣建言,求仕者皆为其主游间秦耳,请一切逐之。李斯上《谏逐客书》,言缪公、孝公、惠王、昭王,皆客之功,遂去逐客令。

⑳馘(xù):面。《庄子·列御寇》:"夫处穷闾阨巷,困窘织屦,槁项黄馘。"李颐曰:"槁项,羸瘦貌。"司马彪曰:"黄馘,谓黄熟面也。"

㉑《史记·陈涉世家》:"涉少时尝与人佣耕,辍耕之垄上,怅恨久之,曰:'苟富贵,无相忘。'佣者笑而应曰:'若为佣耕,何富贵也?'陈涉太息曰:'嗟乎,燕雀安知鸿鹄之志哉!'"

㉒陈豨(xī):刘邦部将,以郎中封阳夏侯,为代相,多招致宾客,邯郸官舍皆满。

㉓萧、曹：谓萧何、曹参。

㉔吴王濞(bì)，高帝兄仲之子也。既封吴，有豫章铜山，招致天下亡命者盗铸钱。淮南厉王，名长，高帝少子，收聚汉诸侯人，及有罪亡者匿与居。梁孝王，名武，文帝子，招延四方豪杰，自山以东，游说之士，莫不毕至。魏其侯窦婴，窦太后从兄子也。武安侯田蚡，景帝王皇后同母弟。皆好礼宾客，贤士争归之。

【译文】

春秋末期，到战国时代，各国的诸侯及卿相，都争相收养人才。上到谋士、说客，谈天说地的、修饰文词的，辩论“坚白”“同异”之类的人，下到击剑行刺的、力能扛鼎的，以及鸡鸣狗盗之辈，没有不以宾客的礼节去款待他们的。穿着华丽的衣服、吃着珍贵的食物、被招待在官府里的人，数不清有多少。越王勾践有“君子军”六千人；信陵君、孟尝君、平原君、春申君、吕不韦等，都有宾客三千人。而孟尝君还在薛地招聚了六万家侠客及犯罪的人，齐国稷下学宫聚集的学者也有千人之多；魏文侯、燕昭王、燕太子丹等，也都招致了无数宾客。后来到了秦汉之际，张耳、陈余号称收养了许多人才，他们手下的宾客及仆役，都是天下的俊杰，田横也有五百士人。见于传记的大概就是这些，估计不见记载的，应当是官吏的一倍、农民的一半。这些都是祸害百姓、危害国家的人，百姓怎么吃得消，国家又怎么受得了呢？

苏子说：这是古代贤明君主所不能避免的事。国家有坏人，就像鸟兽中有猛禽，昆虫中有毒虫一样。把他们分别处理安置，使他们都能各安本位，是正确的处理方法；把他们尽数铲除掉，是没有道理的。我曾就世代的兴废考察过，知道六国之所以长久存在，而秦朝之所以迅速灭亡，原因都在这里，不可不明察。有智谋的人、有勇气的人、有辩才的人、有气力的人，这四种人，都是百姓中的优异杰出之士，大多是不能自己穿坏的吃坏的而去奉养别人的，都是要役使别人来奉养自己的一些人。所以从前的帝王把天下的富贵分出一部分来，和这四种人共同享有。这四种人不失去常业，百姓就安定了。四种人虽然各不相同，可是从前的帝王却根据习俗来制定法律制度，使他们都从同一途径中出身。三代以上是从学校中出身，战国到秦代是从宾客中出身，汉以后是由郡县官吏的选拔出身，魏晋以来是由九品中正出身，从隋唐到现在是由科举考试出身。虽然不完全是这样，但就大多数而言是这样的。

六国的君主，虐待他的百姓，并不亚于秦始皇与秦二世，然而在那个时候，百姓并没有一个人起来反叛。这是因为百姓中的优异杰出之士，多数都被当作宾客奉养起来，没有失去常业。至于那些努力耕作奉养官府的，都是朴实愚钝而没有什么作为的人，虽然想反叛，但是没有人去领导他们，这是六国能略微安定而不立即灭亡的原因。

秦始皇当初想驱逐宾客，采纳了李斯的建议才没有实行。统一天下以后，就认为宾客是没有用处的，于是便信任法律而不信任人才，认为百姓可以靠法律来统治，认为官吏不必有才华，只要能够遵守我的法律就够了。所以才毁坏了名城，杀掉了豪杰，对于百姓中优秀而又有特殊才干的人，将他们遣散还乡。从前就食于战国四公子和吕不韦的那些人，都回到哪里去呢？不知道他们是面黄肌瘦的老死在贫苦生活中呢，还是停止耕作、叹息着等待时机呢？秦朝的变乱，虽然形成于秦二世在位之时，然而假使秦始皇当初知道畏惧这四种人，设法安置他们，使他们不失去常业，那么秦朝的灭亡，还不至于这样快。把上百万头虎狼放到山林里却让它们饿着、渴着，不知道它们将来是要吃人的。世人认为秦始皇聪明，我是不相信的。

楚汉之争带来的灾祸，使百姓死伤殆尽，豪杰之士也应该没有多少了，然而代相陈豨，侍从的车仍然有一千辆，都满载着宾客，萧何与曹参这两位相国先后当政，并没有加以禁止。到了汉文帝、景帝、武帝的时代，法令已经非常严密，可是吴王刘濞、淮南王刘长、梁王刘武、魏其侯窦婴、武安侯田蚡那些人，都还争着招致宾客，各代统治者并不过问。这难道是借鉴秦朝灭亡的教训，认为单靠官爵和俸禄不能完全笼络住天下的人才，所以稍稍放宽一点，使他们也许能够从宾客中出头吗？像那古代贤明君主的政策就不是这样，孔子曾经说过："君子学习了礼乐就会爱护他人，百姓学习了礼乐就容易使唤了。"唉，这哪里是秦朝和汉朝能够比得上的啊！

论隐公里克李斯郑小同王允之

【题解】

本文是一篇史论。文中指出，鲁隐公、晋国里克、秦朝李斯、郑小同、王允之五个人应对变故的态度不同，所以五个人的结局也不一样，有的被害，有的得以保全。

【原文】

公子翚请杀桓公，以求太宰。隐公曰："为其少故也，吾将授之矣。使营菟裘，吾将老焉。"翚惧，反谮公于桓公，而弑之①。

苏子曰：盗以兵拟人，人必杀之，夫岂独其所拟，涂之人皆捕击之矣。涂之人与盗非仇也，以为不击，则盗且并杀己也。隐公之智，曾不若是涂之人也。哀哉！隐公，惠公继室之子也，其为非嫡，与桓均耳，而长于桓。隐公追先君之志，而授国焉②，可不谓仁乎？惜乎其不敏于智也。使隐公诛翚而让桓，虽夷、齐何以尚兹③？

骊姬欲杀申生而难里克，则施优来之④；二世欲杀扶苏而难李斯，则赵高来之⑤。此二人之智，若出一人，而其受祸亦不少异：里克不免于惠公之诛⑥，李斯不免于二世之虐⑦，皆无足哀者。吾独表而出之，以为世戒。君子之为仁义也，非有计于利害，然君子之所为，义利常兼，而小人反是。李斯听赵高之谋，非其本意，独畏蒙氏之夺其

位，故勉而听高。使斯闻高之言，即召百官，陈六师而斩之，其德于扶苏，岂有既乎？何蒙氏之足忧？释此不为，而具五刑于市[8]，非下愚而何？呜呼！乱臣贼子犹蝮蛇也，其所螫草木犹足以杀人，况其所噬啮者欤？

郑小同为高贵乡公侍中，尝诣司马师，师有密疏，未屏也，如厕还，问小同："见吾疏乎？"曰："不见。"师曰："宁我负卿，无卿负我。"遂鸩之[9]。王允之从王敦夜饮，辞醉先寝。敦与钱凤谋逆，允之已醒，悉闻其言，虑敦疑己，遂大吐，衣面皆污。敦果照视之，见允之卧吐中，乃已[10]。哀哉小同！殆哉岌岌乎，允之也！孔子曰："危邦不入，乱邦不居。"有以也夫！

吾读史得鲁隐公、晋里克、秦李斯、郑小同、王允之五人，感其所遇祸福如此，故特书其事，后之君子，可以览观焉。

【注释】

①以上见《左传·隐公十一年》。菟裘：鲁邑，今山东泗水县北有菟裘城。杜氏注："菟裘在泰山梁父县南。"

②《左传》：惠公继室声子生隐公，仲子生桓公，而惠公薨，是以隐公立而奉之。杜氏注："隐公继室之子，当嗣世，以祯祥之故，追成父志，为桓尚少，是以立为太子，帅国人奉之。"

③夷、齐：伯夷、叔齐，殷孤竹之二子，其父将死，遗命立叔齐。父死，叔齐逊伯夷，伯夷曰："父命也。"遂逃去，叔齐亦不立而逃。

④施优出于《国语》，当作优施。《国语》：骊姬告优施曰："君既许我杀太子而立奚齐矣，吾难里克，奈何？"优施曰："吾来里克，一日而

已。”乃往告里克曰：“君既许骊姬杀太子而立奚齐，谋既成矣。”里克曰：“吾秉君以杀太子，吾不忍，通复故交吾不敢，中立其免乎？”优施曰：“免。”优：优人；施，其名也。

⑤《史记》：始皇东游会稽、琅邪，少子胡亥、李斯、赵高从，始皇崩，赵高欲矫诏立胡亥。乃谓李斯曰：今上崩，未有知者，定太子在君侯与高之口耳。且长子刚毅而武勇，信人而奋士，即位必用蒙恬为丞相，君侯终不怀通侯之印归于乡里，明矣。胡亥慈仁笃厚，轻财重士，可以为嗣君。君听臣之计，即长有封侯，释此不从，祸及子孙。斯仰天垂泪太息曰：嗟乎！独遭乱世，既以不能死，安托命哉。于是斯乃听高，相与谋诈为受诏，立胡亥为太子，赐长子扶苏剑以自裁，将军蒙恬赐死，胡亥立为二世皇帝。

⑥《左传·僖公十年》：“晋侯杀里克以说，将杀里克，公使谓之曰：‘微子则不及此，虽然，子弑二君与一大夫，为子君者，不亦难乎？’对曰：‘不有废也，君何以兴，欲加之罪，其无辞乎！臣闻命矣。’伏剑而死。”

⑦《史记》：赵高诬李斯与子由谋反，于是二世使高案丞相狱治罪。高治斯，榜掠千余，不胜痛，自诬服，具五刑腰斩咸阳市。

⑧秦法，当三族者，皆先黥，劓，斩左右趾，笞杀之，枭其首，菹其骨肉于市，谓之具五刑。

⑨“郑小同”一节，见《三国志·高贵乡公纪》注。

⑩“王允之”一节，见《晋书·王允之传》。

【译文】

公子翚请求杀掉桓公，以此求得太宰的职位。隐公说：“我代他摄政是因为他年纪太小的缘故，我将要把权力交给他了。派人到菟裘修建宫室，我打算养老了。”公子翚害怕，反过来在桓公面前诬陷隐公，把隐公杀掉了。

苏子说：强盗拿着兵器向别人比划，别人必定会杀了他，何止是被他比划的人，路上的人都将逮捕和攻击他了。路人和强盗并没有仇，只是认为如果不攻击，那么强盗就会连自己也一并杀掉。隐公的智慧，还比不上这样的路人。悲哀啊！隐公，是惠公续娶的夫人生的儿子，他不是嫡子，与桓公一样，而比桓公年长。隐公追念先君的想法，把政权移交出去，能说不是仁德吗？可惜他不够聪敏。假如隐公杀掉公子翚而让位给桓公，即使是伯夷、叔齐，哪能比得上他？

骊姬想杀公子申生而为难于里克，优施就把他招徕了；秦二世想杀扶苏而为难于李斯，赵高就把他招徕了。这两个人的智慧，就像出自一个人，他们所遭受的祸患也没有一点不同：里克没能幸免于惠公的诛杀，李斯没能幸免于秦二世的暴虐，都没有什么值得同情的。我特意把他们展示出来，让世人引以为戒。君子行仁义之事，不是出于对利害的计较，然而君子所做的，常常是兼有仁义和利益，小人却与此相反。李斯听从赵高的谋划，并不是他的本意，只是害怕蒙恬抢了他的权位，所以勉强听从赵高。假使李斯听到赵高的话，立即召集百官，陈列六军，将其斩首，那么对扶苏的恩德，难道有尽头吗？蒙恬有什么值得担忧的？放弃这事不做，却在市场遭受五种刑罚，不是最愚蠢又是什么呢？唉！乱臣贼子就像毒蛇，它碰到过的草木尚且足以杀死人，何况被它咬过的人呢？

郑小同是高贵乡公的侍中，曾经去拜访司马师，司马师有一封秘密奏疏，没有密封住，上厕所回来后，问小同：“看我的奏疏了吗？”回答道：“没看。”司马师说：“宁可我辜负你，不能让你辜负我。”于是用毒酒杀死了他。王允之和王敦晚上喝酒，借口喝醉先睡了。王敦和钱凤密谋造反，王允之已经醒来，他们的话全听到了，怕王敦怀疑自己，于是大吐，衣服和脸都弄脏了。王敦果然提着灯过来看他，见王允之躺在呕吐物里面，就不再追究。小同真是悲惨啊！王允之差点遭遇危险！孔子说："危险的国家不去，祸乱的国家不住。"确实有道理。

我读历史，读到鲁隐公、晋国里克、秦朝李斯、郑小同、王允之五个人，感慨他们遭遇这样的祸福，所以特意记下他们的事迹，后世的君子，可以看看。

论项羽范增

【题解】

本文是一篇史论。全文围绕范增未能“知几”而尽早离开项羽展开论述，将义帝、宋义、项羽、范增联结到一起，层层剖析，反扣论点。文末以褒语作结，认为范增也称得上是一时之“人杰”。

【原文】

汉用陈平计，间疏楚君臣。项羽疑范增与汉有私，稍夺其权。增大怒曰：“天下事大定矣，君王自为之，愿赐骸骨归卒伍！”归未至彭城，疽发背死①。

苏子曰：增之去，善矣；不去，羽必杀增，独恨其不早耳。然则当以何事去？增劝羽杀沛公，羽不听，终以此失天下，当于是去耶？曰：否。增之欲杀沛公，人臣之分也；羽之不杀，犹有人君之度也，增曷为以此去哉？

《易》曰：“知几其神乎②。”《诗》曰：“相彼雨雪，先集维霰③。”增之去，当于羽杀卿子冠军时也④。陈涉之得民也，以项燕、扶苏⑤；项氏之兴也，以立楚怀王孙心⑥；而诸侯叛之也，以弑义帝⑦。且义帝之立，增为谋主矣，义帝之存亡，岂独为楚之盛衰，亦增之所与同祸福也；未有义帝亡，而增独能久存者也。羽之杀卿子冠军也，是弑义帝之兆也；其弑义帝，则疑增之本也，岂必待陈平哉？物必先腐也，而后虫生之；人必先疑也，而后谗入之。陈平虽

智，安能间无疑之主哉？

吾尝论义帝，天下之贤主也。独遣沛公入关而不遣项羽[8]，识卿子冠军于稠人之中，而擢以为上将[9]，不贤而能如是乎？羽既矫杀卿子冠军，义帝必不能堪，非羽弑帝，则帝杀羽，不待智者而后知也。增始劝项梁立义帝，诸侯以此服从，中道而弑之，非增之意也。夫岂独非其意，将必力争而不听也。不用其言，而杀其所立，羽之疑增，必自是始矣。方羽杀卿子冠军，增与羽比肩而事义帝，君臣之分未定也。为增计者，力能诛羽则诛之，不能则去之，岂不毅然大丈夫也哉！增年已七十，合则留，不合则去，不以此时明去就之分，而欲依羽以成功，陋矣！虽然，增，高帝之所畏也。增不去，项羽不亡。呜呼，增亦人杰也哉！

【注释】

①以上见《史记·项羽本纪》。彭城：今江苏徐州。

②“知几”句，见《易·系辞下》。

③此《诗·小雅·頍弁》之三章。朱注：“霰(xiàn)，雪之始凝者也，将大雨雪，必先微温，雪自上下，遇温气而抟，谓之霰，久而寒胜，则大雪矣。言霰集则将雪之候，以比老至则将死之征也。”

④杀卿子冠军事，见《史记·项羽本纪》。

⑤《史记·陈涉世家》：陈胜曰：吾闻二世少子也，不当立，当立者乃公子扶苏，二世杀之，百姓多闻其贤，未知其死也。今诚以吾众，诈自称公子扶苏、项燕，为天下唱，宜多应者。

⑥《史记·项羽本纪》：“居鄛人范增年七十，素居家，好奇计。往说项

梁曰：'……秦灭六国，楚最无罪，自怀王入秦不反，楚人怜之至今……今君起江东，楚蜂午之将皆争附君者，以君世世楚将，为能复立楚之后也。'于是项梁然其言，乃求楚怀王孙心，民间为人牧羊，立以为楚怀王。"

⑦《史记·项羽本纪》：项王出之国，使人徙义帝（即楚怀王孙心），曰："古之帝者地方千里，必居上游。"乃使使徙义帝长沙郴县，阴令衡山、临江王击杀之江中。"

⑧《史记·高祖本纪》：怀王以宋义为上将军，项羽为次将，北救赵。令沛公西略地入关，与诸将约，先入定关中者王之。

⑨《史记·项羽本纪》："宋义使于齐，道遇齐使者高陵君显，曰：'公将见武信君乎？'曰：'然。'曰：'臣论武信君军必败，公徐行即免死，疾行则及祸。'"楚军果大败，项梁死之。高陵君显谓楚王曰："宋义论武信君之军必败，居数日军果败，兵未战而先见败征，可谓知兵矣。"王召宋义，与计事而大悦之，因置以为上将军。

【译文】

汉王刘邦采用陈平的计策，离间疏远西楚君臣。项羽怀疑范增和汉王私下勾结，渐渐剥夺他的权力。范增大怒说："天下大事已经大致确定了，君王好自为之吧，希望能让我告老还乡！"回去的时候还没走到彭城，就因背上痈疽发作而死。

苏子说：范增离去，是好事；如果不离去，项羽必定会杀他，只是遗憾他没有尽早离去而已。那么范增应当什么时候离去呢？当初范增劝项羽杀掉刘邦，项羽不听，最终因此失掉天下，应当在那时离去吗？回答说：不。范增想要杀刘邦，是做臣子的职责；项羽不杀刘邦，尚且还有人君的度量，范增怎能在此时离去呢？

《易经》说:“能预知事情萌发的细微迹象,就能与神道相合。”《诗经》说:“若要下雪,水汽必定先凝聚成霰。”范增离去,应当在项羽杀卿子冠军宋义的时候。陈胜能够得民心,凭借的是楚将项燕和秦公子扶苏的旗号;项氏的兴盛,是因为拥立了楚怀王之孙熊心;而诸侯背叛他,也是因为他谋杀了义帝。况且拥立义帝,范增实为谋主,义帝的存亡,岂止决定楚国的盛衰,范增也与此祸福相关;绝对没有义帝被杀,而单单范增能够长久得生的道理。项羽杀卿子冠军宋义,就是谋杀义帝的先兆;他杀义帝,就是怀疑范增的根源,哪里还要等到陈平使反间计呢?物品必定自己先腐烂,然后才能生蛆虫;人必定自己先起疑心,然后才会听信谗言。陈平虽然富有智谋,又怎能离间没有疑心的君主呢?

我曾经评论义帝,认为他是天下的贤主。仅仅从派遣刘邦入关而不是派遣项羽,在众人之中识别卿子冠军宋义,并且提拔他为上将军这两件事看,如果不贤明岂能这样做?项羽既然假托王命杀了卿子冠军宋义,义帝必然不能容忍,不是项羽杀义帝,就是义帝杀项羽,这用不着智者指点就可以知道了。范增当初劝项梁拥立义帝,诸侯因此而服从,中途谋杀义帝,必定不是范增的主意。非但不是他的主意,他必然极力争辩而没有被采纳。不采纳他的谏言,而杀掉他所拥立之人,项羽怀疑范增,必定是从这时候开始的。当初项羽杀卿子冠军宋义之时,范增和项羽并肩侍奉义帝,君臣的名分还没有确定。如果替范增考虑,有能力诛杀项羽就杀了他,不能就离开他,难道不是坚强果断的奇男子吗?范增已经七十岁了,意见相合就留下来,不合就离去,不在此时弄清楚去留的分寸,却想依靠项羽来成就功名,浅陋啊!即使这样,范增还是被汉高祖刘邦所畏惧。范增不离去,项羽就不会灭亡。唉,范增也是人中豪杰呀!

策别训兵旅三

【题解】

这是作者报名参加“制策”考试时提交的二十五篇《策论》中的第三篇。面对北宋王朝日渐衰弱的现实，作者提出了一系列“富国强兵”的建议，本文即针对军事方面展开。

【原文】

其三曰：“倡勇敢。”臣闻战以勇为主，以气为决。天子无皆勇之将，而将军无皆勇之士。是故致勇有术。致勇莫先乎倡，倡莫善乎私。此二者，兵之微权，英雄豪杰之士，所以阴用而不言于人，而人亦莫之识也。臣请得以备言之。

夫倡者，何也？气之先也。有人人之勇怯，有三军之勇怯。人人而较之，则勇怯之相去，若莛与楹①。至于三军之勇怯，则一也。出于反覆之间，而差于毫厘之际，故其权在将与君。人固有暴猛兽而不操兵，出入于白刃之中而色不变者；有见虺蜴②而却走，闻钟鼓之声而战栗者。是勇怯之不齐，至于如此。然闾阎之小民，争斗戏笑，卒然之间，而或至于杀人。当其发也，其心翻然，其色勃然，若不可以已者，虽天下之勇夫，无以过之。及其退而思其身，顾其妻子，未始不恻然悔也。此非必勇者也。气之所乘，则夺其性而忘其故。故古之善用兵者，用其翻

然、勃然于未悔之间；而其不善者，沮其翻然、勃然之心，而开其自悔之意，则是不战而先自败也。故曰致勇有术，致勇莫先乎倡。均是人也，皆食其食，皆任其事，天下有急，而有一人焉，奋而争先而致其死，则翻然者众矣。弓矢相及，剑楯相交，胜负之势，未有所决，而三军之士，属目于一夫之先登，则勃然者相继矣。天下之大，可以名劫也；三军之众，可以气使也。谚曰："一人善射，百夫决拾[3]。"苟有以发之，及其翻然、勃然之间而用其锋，是之谓倡。

倡莫善乎私。天下之人，怯者居其百，勇者居其一，是勇者难得也。捐其妻子，弃其身以蹈白刃，是勇者难能也。以难得之人，行难能之事，此必有难报之恩者矣。天子必有所私之将，将军必有所私之士，视其勇者而阴厚之。人之有异材者，虽未有功，而其心莫不自异。自异而上不异之，则缓急不可以望其为倡。故凡缓急而肯为倡者，必其上之所异也。昔汉武帝欲观兵于四夷，以逞其无厌之求。不爱通侯之赏[4]，以招勇士。风告天下，以求奋击之人，然卒无有应者。于是严刑峻法，致之死地，而听其以深入赎罪，使勉强不得已之人，驰骤于万死之地，是故其将降，而兵破败，而天下几至于不测[5]。何者？先无所异之人，而望其为倡，不已难乎？私者，天下之所恶也。然而为己而私之，则私不可用；为其贤于人而私之，则非私无以济。盖有无功而可赏，有罪而可赦者，凡所以愧其心，而责其为倡也。天下之祸，莫大于上作而下不应。上作而下不应，则上亦将穷而自止。方西戎[6]之叛也，天子

非不欲赫然诛之，而将帅之臣谨守封略，外视内顾，莫有一人先奋而致命，而士卒亦循循焉莫肯尽力，不得已而出，争先而归。故西戎得以肆其猖狂，而吾无以应，则其势不得不重赂而求和。其患起于天子无同忧患之臣，而将军无心腹之士。西师之休，十有余年矣。用法益密，而进人益难。贤者不见异，勇者不见私。天下务为奉法循令，要以如式而止，臣不知其缓急将谁为之倡哉！

【注释】

①若莛与楹：谓相去万里，如同草莛之细与楹柱之粗也。莛：草茎。《庄子·齐物论》："故为是举莛与楹，厉与西施。"

②虺（huǐ）：毒蛇，长八九寸，扁头大眼，色如土。蜴（yì）：蜥蜴，长六七寸，头扁，有四脚，似壁虎，俗名四脚蛇。《诗·小雅·正月》："哀今之人，胡为虺蜴。"

③《国语》："一人善射百夫决拾。"言善用兵者，众必化之，犹一人善射，百夫竞相决拾而效之。

④秦法，其侯爵最尊者曰"彻侯"，汉因之，后避武帝讳，改曰"通侯"。

⑤天下几至于不测：武帝太初元年（公元前104年）秋，遣贰师将军李广利发天下谪民征大宛。天汉四年（公元前97年）春，发天下七科谪及勇敢士，遣李广利将兵出朔方。征和三年（公元前90年）三月，又遣李广利出五原，广利败，遂降匈奴。

⑥西戎：谓西夏。

【译文】

第三说的是："提倡勇敢。"我听说战争以勇为主，以气为决定因素。天子没有全部勇敢的将领，将军也没有全部勇敢的士卒。因此，获得勇气要讲究方法。要获得勇气没有比倡导更靠前的，倡导没有比树立私恩更好的方法。这两个方面，是用兵的微妙权术，英雄豪杰之人，暗中使用但不说给别人听，别人也没办法了解。我请求能够详细说一说。

倡导，是什么呢？是士气的先导。有所有人的勇敢和怯懦，有全军的勇敢和怯懦。人与人相比，那么勇敢和怯懦的距离，就像草茎和楹柱的差别。至于全军的勇敢和怯懦，就是同样的了。经常处于变化之中，相差仅在毫厘之间，所以它的权柄在于将领和君主。人群中当然有徒手搏击猛兽而不使用兵器的，往来于锋利的刀刃之间而神色不变的；有看见毒蛇和蜥蜴就逃走的，听见钟鼓的声音就发抖的。则勇敢和怯懦的差别，到了这样的地步。然而里巷中的百姓，互相打闹说笑，突然之间，有时到了杀人的地步。当他发作的时候，性情大变，脸色也突然改变，好像停不下来，即使是天下最勇敢的人，也胜不过他。等到他情绪消退的时候考虑自身，想到妻子和孩子，没有不感到悲伤并后悔的。这就不是真正勇敢的人。气发挥作用，就使他改变了天性而忘记了平时的状态。所以古代善于用兵的人，在他们还没有感到后悔之前使用他们猛然涌现出的勇气；不善于用兵的人，阻止他们猛然涌出的勇气，开启他们后悔的意识，就是还没打仗自己已经失败了。所以说获得勇气要讲究方法，要获得勇气没有比倡导更靠前的。都是一样的人，都吃他们自己的食物，都做他们自己的事情，天下有紧急情况，有一个人，奋勇争先而不顾生死，那么被激发出勇气的人就会多起来。弓箭和刀剑盾牌相互交接，胜败的形势，还没有决定，而全军的人，都注视着第一个奋勇争先的人，那么被激发出勇气的人就相继出现了。这么大的天下，可以用声名来掌控；全军的人，可以用气来驱使。谚语说：“一个人善于射箭，几百个人也跟着拿起弓。”只要能够发动它，等到他们鼓起勇气的时候善于利用士气的锋锐，这就是倡导。

倡导没有比树立私恩更好的方法。天下的人，怯懦的占一百份，勇敢的占一份，那么勇敢的人是很难得到的。抛弃妻子儿女，不顾自己的身体去踩踏锋利的刀刃，连勇敢的人也很难做到。用很难得到的人，做很难做到的事，这里边一定有难以报答的恩情在。天子一定有偏爱的将领，将军一定有偏爱的士兵，对勇敢的人会私下给予优厚待遇。有特殊才能的人，即使没有立功，他的内心没有不感到自己不一样的。自我感觉特异而上司不特殊对待，那么有紧急情况时就不能指望他当先导。所以在紧急情况下可以当先导的，一定是上司特殊对待的人。从前汉武帝打算对四夷用兵，用来满足他的无尽欲求。不吝惜最尊贵爵位的赏赐，招徕勇士。布告天下，来寻找奋勇进击之人，然而最终没有人应募。于是施行严刑峻法，将百姓置于死地，然后允许他们用深入敌境来赎罪，让勉为其难不得不去的人，奔走在难以活命的地方，所以将领投降了，军队溃败了，天下也几乎到了危险的境地。什么原因呢？先前没有特殊对待的人，而指望他当先导，不是很困难的吗？私恩，是天下人都厌恶的。为自己而树立私恩，那这种私恩不可使用。因为他比别人更有才能而树立私恩，那么不偏私是不行的。大体来说，对没有功劳的贤者可以奖赏，对有罪的勇者可以赦免，从而使他们内心感愧，以此来督责他们当先导。天下的祸患，没有比上边发命令而下边没反应更大的了。上边发命令而下边没反应，那么上边也会因困穷难行而自己停止。当西夏叛乱的时候，天子不是不想大张旗鼓地讨伐它，只是将帅们都谨慎地守护自己的边界，外看里看，没有一个人不顾性命而奋勇争先，而士兵也都徘徊不前不肯尽力，没办法了才出发，出发后又抢着退回来。因此，西夏才猖狂肆虐，而我们没有应对的办法，那么从当时的形势来看，就不能不用丰厚的贿赂来乞求和平。这祸患起源于天子没有共患难的大臣，将军没有心腹的士兵。西边军事行动的停止，有十几年了。施行的法令越来越严密，但进用人才越来越难。有才能的人得不到特殊对待，勇敢的人得不到私恩。天下都努力遵守法令，以符合法令要求为止，我不知道紧急情况下谁能当先导！

超然台记

【题解】

本文是作者任密州知州时作，名为台亭作记，实际上是宣扬一种超然物外、随遇而安的人生态度。文章叙议结合，叙则细致，议则精当。

【原文】

凡物皆有可观。苟有可观，皆有可乐，非必怪奇伟丽者也。铺糟啜醨[1]，皆可以醉；果蔬草木，皆可以饱。推此类也，吾安往而不乐？夫所为求福而辞祸者，以福可喜而祸可悲也。人之所欲无穷，而物之可以足吾欲者有尽。美恶之辨战乎中，而去取之择交乎前，则可乐者常少，而可悲者常多。是谓求祸而辞福。夫求祸而辞福，岂人之情也哉？物有以盖之矣。彼游于物之内，而不游于物之外。物非有大小也，自其内而观之，未有不高且大者也。彼挟其高大以临我，则我常眩乱反覆，如隙中之观斗，又乌知胜负之所在？是以美恶横生，而忧乐出焉，可不大哀乎？

余自钱塘移守胶西[2]，释舟楫之安，而服车马之劳；去雕墙之美，而庇采椽之居[3]；背湖山之观，而行桑麻之野。始至之日，岁比不登，盗贼满野，狱讼充斥。而斋厨索然，日食杞菊[4]。人固疑余之不乐也。处之期年，而貌

加丰，发之白者日以反黑。余既乐其风俗之淳，而其吏民亦安余之拙也。于是治其园圃，洁其庭宇，伐安丘、高密⑤之木，以修补破败，为苟完之计。而园之北，因城以为台者旧矣，稍葺而新之。时相与登览，放意肆志焉。南望马耳、常山⑥，出没隐见，若近若远，庶几有隐君子乎？而其东则卢山⑦，秦人卢敖之所从遁也⑧。西望穆陵⑨，隐然如城郭，师尚父⑩、齐桓公之遗烈，犹有存者。北俯潍水⑪，慨然太息，思淮阴之功⑫，而吊其不终。台高而安，深而明，夏凉而冬温。雨雪之朝，风月之夕，余未尝不在，客未尝不从。撷园蔬，取池鱼，酿秫酒⑬，瀹脱粟而食之⑭，曰：乐哉游乎！

方是时，余弟子由，适在济南，闻而赋之，且名其台曰"超然"，以见余之无所往而不乐者，盖游于物之外也⑮。

【注释】

①餔糟啜醨(lí)，《楚辞·渔父》："众人皆醉，何不餔其糟而歠其醨。"五臣曰："餔，食也。"糟、醨，皆酒滓。洪兴祖曰："醨，薄酒也。"

②胶西：汉胶西王国，今山东胶州、高密等地。按：神宗熙宁七年（公元1074年），东坡由杭州通判移知密州。

③采：树木。以采为椽，言其质素也。

④《杞菊赋叙》云："移守胶西，意且一饱，而斋厨索然，不堪其忧，日与通守刘君廷式，循古城废圃，求杞菊食之。"

⑤安丘：北宋县名，在今山东安丘。高密：北宋县名，在今山东高密。

⑥马耳：山名，在今山东诸城境内。《读史方舆纪要》卷三五："马耳山，在（诸城）县西南六十里，双峰耸削，形如马耳。"常山：山名，在

今山东诸城境内。《读史方舆纪要》卷三五:"常山,(诸城)县西南三十里。"秦汉时高士,多隐于此两山中。

⑦卢山,《读史方舆纪要》卷三五:"卢山,(诸城)县东南四十五里,以秦博士卢敖隐处而名。"

⑧卢敖:秦博士,避难于山中,后人因名其山曰卢山。

⑨穆陵:关名,在山东临朐东大岘山,山周二十里,道径危恶,为齐南天险。《左传·僖公四年》:"管仲对曰:'昔召康公,命我先君太公曰:五侯九伯,女实征之,以夹辅周室。赐我先君履,东至于海,西至于河,南至于穆陵,北至于无棣。'"

⑩师尚父:指吕尚。《史记·齐太公世家》:太公望吕尚者,东海上人。吕尚盖尝穷困,年老矣,以渔钓奸周西伯。西伯将出猎,卜之,曰:"所获非龙非彨,非虎非罴;所获霸王之辅。"于是周西伯猎,果遇太公于渭之阳,与语大说,载与俱归,立为师。周西伯昌之脱羑里归,与吕尚阴谋修德以倾商政,其事多兵权与奇计,故后世之言兵及周之阴权皆宗太公为本谋。周西伯政平,及断虞芮之讼,而诗人称西伯受命曰文王。伐崇、密须、犬夷,大作丰邑。天下三分,其二归周者,太公之谋计居多。武王将伐纣,卜龟兆,不吉,风雨暴至。群公尽惧,唯太公强之劝武王,武王于是遂行。十一年正月甲子,誓于牧野,伐商纣。纣师败绩。纣反走,登鹿台,遂追斩纣。封比干墓,释箕子囚。迁九鼎,修周政,与天下更始。师尚父谋居多。于是武王已平商而王天下,封师尚父于齐营丘。太公至国,修政,因其俗,简其礼,通商工之业,便鱼盐之利,而人民多归齐,齐为大国。及周成王少时,管、蔡作乱,淮夷畔周,乃使召康公命太公曰:"东至海,西至河,南至穆陵,北至无棣,五侯九伯,实得征之。"齐由此得征伐,为大国。都营丘。

⑪潍水：源出山东莒县西北箕屋山，东北流经诸城、高密、安丘，又经昌邑入于海。汉韩信伐齐破楚将龙且于潍水，即此水也。

⑫淮阴之功：淮阴，指韩信，封淮阴侯。《史记·淮阴侯列传》：(齐王田广)走高密，使使之楚请救。韩信已定临菑，遂东追广至高密西。楚亦使龙且将，号称二十万，救齐。齐王广、龙且并军与信战，未合。人或说龙且曰："汉兵远斗穷战，其锋不可当。齐、楚自居其地战，兵易败散。不如深壁，令齐王使其信臣招所亡城，亡城闻其王在，楚来救，必反汉。汉兵二千里客居，齐城皆反之，其势无所得食，可无战而降也。"龙且曰："吾平生知韩信为人，易与耳。且夫救齐不战而降之，吾何功？今战而胜之，齐之半可得，何为止！"遂战，与信夹潍水陈。韩信乃夜令人为万余囊，满盛沙，壅水上流，引军半渡，击龙且，详不胜，还走。龙且果喜曰："固知信怯也。"遂追信渡水。信使人决壅囊，水大至。龙且军大半不得渡，即急击，杀龙且。龙且水东军散走，齐王广亡去。信遂追北至城阳，皆虏楚卒。

⑬秫酒：用秫酿制的酒。秫：粟米之黏者。

⑭瀹(yuè)：煮也；脱粟：谓粗米仅脱皮壳，不精凿出。《晏子春秋》：婴相齐，食脱粟饭。

⑮子由《超然台赋叙》云：子瞻既通守余杭，三年不得代，以辙之在济南也，求为东州守。既得请高密，其地介于淮海之间，风俗朴陋，又承大旱之余孽，驱除螟蝗，逐捕盗贼，廪恤饥馑，日不遑给，几年而后少安。顾居处隐陋无以自放，乃因其城上之废台，而增葺之，日与其僚，览其山川而乐之。以告辙曰：此将何以名之？辙曰：今夫山居者知山，林居者知林，安于其所而已，其乐不相及也；而台则尽之。天下之士，奔走于是非之场，浮沉于荣辱之海，嚣然尽力而忘反，亦莫自知也；而达者哀之。二者非以其超然不累于物故耶？老

子曰：虽有荣观，燕处超然。尝试以超然命之可乎？因为赋以告之。

【译文】

凡是事物都有可供观赏的地方。假如有可以观赏的地方，就都有让人快乐的地方，不一定要是奇异壮丽才行。吃酒糟，喝淡酒，都可以叫人醉醺醺；水果蔬菜，都可以吃饱。以此类推，我去哪里会感到不快乐呢？人们常说要寻求福祉而躲避灾祸，因为福祉是可喜的，灾祸是可悲的。人的欲望没有尽头，但可以用来满足我们欲望的物质是有限的。辨别美好与丑恶的意念在内心争斗，取舍的抉择在眼前交战，那么使人快乐的东西就常常很少，使人悲哀的东西却往往很多。这就叫作寻求灾祸而躲避福祉。寻求灾祸而躲避福祉，这难道是人之常情吗？那都是因为受了外物蒙蔽呀。人们在物质利益中游荡，而不能超出物质利益之外。事物是没有大小差别的，从它的内部来看，没有什么事物不是高大的。它对我居高临下，那我就常常眼花缭乱，犹豫不定，就像从缝隙中看人争斗，又怎么会知道谁胜谁负呢？因此美好和丑恶交相产生，忧愁和快乐一并出现，这不是极大的悲哀吗？

我从钱塘调到胶西一带做知州，放弃了坐船的安逸，而经受车马颠簸的劳苦；离开了带有彩绘墙壁的华丽住宅，而蜗居在用柞木做椽的屋子里；背弃了湖光山色，而行走在生长着桑麻的田野地头。刚来的时候，这里连年歉收，到处是强盗小偷，案子多得不得了；厨房里空荡荡的，做不出什么像样的菜，只好每天吃枸杞、菊花，人们当然会认为我很不快乐。在这儿住了一年，我的脸渐渐丰润起来，白发也一天天返黑了。我已经喜欢上这里淳厚的民风，而这里的官吏和百姓也习惯了我的拙朴。于是我整治果园菜园,打扫庭院屋宇,采伐安丘、高密的树木,来修补破败之处,作为苟且求安的打算。在园子北面,那座倚靠着城墙修建的高台已经很破旧了,稍微修葺一下使它变新一点儿,常常和人一起登台观景,在这里放开心境,纵情快乐。向南眺望,看见马耳山、常山,若隐若现,若近若远,或许那里住着隐士吧!而高台的东面就是卢山,那里是秦朝人卢敖隐居的地方。向西望是穆陵,隐约像城池,姜子牙、齐桓公的功业,还有留存。向北俯看是潍水,我不禁感叹,想起淮阴侯的功绩,而同情他的不得善终。这座城台高大结实,幽深敞亮,夏天凉爽,冬天暖和。雨雪纷飞的早晨,风清月明的夜晚,我没有不登台的,客人们也没有不跟我去的。我们采摘园子里的蔬菜,钓取池塘里的鱼儿,用高粱酿酒,拿糙米煮饭,大家都说:玩得真痛快啊!

当时,我弟弟子由正好在济南,听说了这些,就写了一篇赋,并把这座台命名为"超然",以表明我到哪里都不会不快乐的原因,就是因为我能够游心于物质利益之外啊。

石钟山记

【题解】

作者通过自己的实地考察,找出了石钟山命名的真正原因。此文的目的是为了弘扬一种求真务实的精神,批评“事不目见耳闻,而臆断其有无”的主观作风。

【原文】

《水经》[①]云:“彭蠡[②]之口,有石钟山焉。”郦元[③]以为下临深潭,微风鼓浪,水石相搏,声如洪钟。是说也,人常疑之。今以钟磬置水中,虽大风浪不能鸣也,而况石乎?至唐李渤[④],始访其遗踪,得双石于潭上,扣而聆之,南声函胡[⑤],北音清越[⑥],桴止响腾,余韵徐歇,自以为得之矣。然是说也,余尤疑之。石之铿然有声者,所在皆是也,而此独以钟名,何哉?

元丰[⑦]七年六月丁丑,余自齐安舟行适临汝[⑧],而长子迈将赴饶之德兴尉,送之至湖口[⑨],因得观所谓石钟者。寺僧使小童持斧,于乱石间择其一二扣之,硿硿焉[⑩],余固笑而不信也。至其夜月明,独与迈乘小舟至绝壁下,大石侧立千尺,如猛兽奇鬼,森然欲搏人。而山上栖鹘,闻人声亦惊起,磔磔云霄间[⑪]。又有若老人咳且笑于山谷中者,或曰:“此鹳鹤也。”余方心动欲还,而大声发于水上,噌吰如钟鼓不绝[⑫],舟人大恐。徐而察之,则山

下皆石穴罅，不知其浅深，微波入焉，涵澹澎湃而为此也[13]。舟回至两山间，将入港口，有大石当中流，可坐百人，空中而多窍，与风水相吞吐，有窾坎镗鞳之声[14]，与向之噌吰者相应，如乐作焉。因笑谓迈曰："汝识之乎？噌吰者，周景王之无射也[15]；窾坎镗鞳者，魏庄子之歌钟也[16]。古之人不余欺也。"

事不目见耳闻，而臆断其有无，可乎？郦元之所见闻，殆与余同，而言之不详。士大夫终不肯以小舟夜泊绝壁之下，故莫能知。而渔工水师，虽知而不能言，此世所以不传也。而陋者乃以斧斤考击而求之，自以为得其实。余是以记之，盖叹郦元之简，而笑李渤之陋也[17]。

【注释】

①《水经》：书名，旧题汉桑钦撰，一作郭璞撰。

②彭蠡（lǐ）：即今江西省北境之鄱阳湖。

③郦元：即郦道元，字善长，北魏范阳（今河北涿州）人，为御史中尉，执法清刻，著《水经注》四十卷。

④李渤：洛阳人，与兄涉隐庐山，元和初，征为右拾遗，称疾不至。

⑤函胡：宫声，其音宏大。

⑥清越：商声，其音清远。

⑦元丰：宋神宗年号。

⑧齐安：今湖北黄冈市。《东坡年谱》云："时公由黄州团练副使，量移汝州也。"

⑨饶：即饶州，明清皆为府，今废，鄱阳县其旧治也。德兴：今江西德兴市。湖口：今江西湖口县，在鄱阳湖之口，故名。

⑩硿(kōng)：击金石声。

⑪磔(zhé)磔：鸟鸣声也。

⑫噌吰(cēng hóng)：钟鼓声。司马相如赋："声噌吰而似钟声。"

⑬涵澹：水摇动貌。澎湃：波相戾貌。

⑭窾(kuǎn)：空也。坎：击物声。镗鞳(tāng tà)：钟鼓声。司马相如赋："铿锵镗鞳。"

⑮无射(yì)，《国语》："二十三年(公元前522年)，王将铸无射，而为之大林。"注：无射，钟名，律中无射也。成于周景王二十四年(公元前521年)。

⑯魏庄子之歌钟也：《国语》曰：郑伯纳女乐二八，歌钟二肆于晋悼公，悼公赐魏绛女乐一八、歌钟一肆。注云："肆，列也。庄子即魏绛。诸本多作魏献子之歌钟。以传考之，献子乃庄子之子魏舒，非魏绛也。疑传写之误。"

⑰曾国藩曰：自咸丰四年(公元1854年)，楚军在湖口为贼所败，至十一年(公元1861年)乃少定。石钟山之片石寸草，诸将士皆能辨识，上钟岩与下钟岩皆有洞，可容数百人，深不可穷，形如覆钟。乃知钟山以形言之，非以声言之，道元、子瞻皆失事实也。

【译文】

《水经》说："鄱阳湖口有一座石钟山。"郦道元认为这座山下面临着深潭，每当微风吹起浪花，湖水和山石相互撞击，发出洪钟一样响亮的声音。对这些说法，人们常常怀疑。现在把钟和磬放在水里，即使有大风浪它们也一声不响，何况是石头呢？到了唐朝，李渤第一个探访石钟山的遗踪，在潭上寻到两块石头，敲击它们，听声音，南面那块响声重浊含糊，北面那块声音清脆高扬，鼓槌停下，响声扬起，余音很久才消失。他自认为找到了石钟山命名的缘由。然而,对这种说法,我仍然怀疑。敲击后能发出响声的石头,到处都有,然而只有这里用钟来命名,这是为什么呢?

元丰七年(公元1084年)六月丁丑这一天,我从齐安乘船前往临汝,大儿子苏迈将要到饶州德兴县任县尉,我送他到湖口,因而能够见到那被称作“石钟”的山。庙里的和尚让一个小孩拿着斧子,在乱石丛中选一两块敲敲,石头作响,我只是笑笑,不相信这就是石钟山得名的缘由。到了这天夜里,月色明朗,我独自和苏迈乘一小舟,来到悬崖绝壁下面。只见大石直立千尺,像猛兽和奇异的鬼怪,阴森森似乎要来捉人。山上栖息的猎隼听见人的声音也受惊飞起,在云端磔磔鸣叫。在山谷中又有像老人边咳嗽边笑的声音,有人说:“那是鹳鹤。”我心里吃惊,正想回去,却听见水上发出巨响,轰隆隆的就像撞击鼓的声音,一直不停,船夫非常害怕。我慢慢去察看,原来山下都是石洞石缝,不知它的深浅,微小的波浪打进去,水波奔腾激荡,就发出这样的响声。小舟驶回石钟山南北两山之间,将要进港时,有一块大石头挡在中流,上面大约可以坐一百人,中间是空的,并有许多小孔,它们和风、水互相吞吐,发出物体碰撞和钟鼓齐鸣的声音,跟前面那种轰隆隆的声音相应和,就像在演奏音乐。我就笑着对苏迈说:“你明白吗?轰隆隆的声音,就像是周景王的无射钟发出的;物体碰撞和钟鼓齐鸣的声音,就像是魏庄子的编钟发出的。古人没欺骗咱们呀。”

凡事没有亲眼看见、亲耳听见,就凭主观想象去断定它的有无,这样行吗?郦道元的所见所闻,大概和我相同,但他说得不详细。士大夫一般不肯乘着小船夜里停泊在悬崖绝壁之下,因此不能知道真相。而渔夫、船夫即使知道也无法这样说出来,这就是石钟命名缘由始终没有在世上流传开来的缘故。而见识浅陋的人竟用斧子敲击石头的办法来探求这个缘由,还自认为知道了真相。我所以记下事情的经过,一方面是惋惜郦道元的解释过于简单,另一方面又嘲笑李渤见识的浅陋。

方山子传

【题解】

在这篇人物小传中，作者用精简的笔墨，写出了方山子这位不慕荣利、豪爽侠义的奇人的风范，含蓄地表达了作者的人生理想。

【原文】

方山子，光、黄[①]间隐人也。少时慕朱家、郭解[②]为人，闾里之侠皆宗之。稍壮，折节读书，欲以此驰骋当世。然终不遇。晚乃遁于光、黄间曰岐亭[③]。庵居蔬食，不与世相闻。弃车马，毁冠服，徒步往来山中，人莫识也。见其所著帽，方屋而高[④]，曰："此岂古方山冠[⑤]之遗像乎？"因谓之方山子。

余谪居于黄，过岐亭，适见焉。曰："呜呼！此吾故人陈慥季常也，何为而在此？"方山子亦矍然[⑥]，问余所以至此者，余告之故。俯而不答，仰而笑，呼余宿其家。环堵萧然[⑦]，而妻子、奴婢皆有自得之意，余既耸然异之。独念方山子少时，使酒好剑，用财如粪土。前十有九年，余在岐下[⑧]，见方山子从两骑，挟二矢，游西山。鹊起于前，使骑逐而射之，不获。方山子怒马独出，一发得之。因与余马上论用兵及古今成败，自谓一时豪士。今几日耳，精悍之色，犹见于眉间，而岂山中之人哉？

然方山子世有勋阀，当得官[⑨]，使从事于其间，今已

显闻。而其家在洛阳，园宅壮丽与公侯等；河北有田，岁得帛千匹，亦足以富乐。皆弃不取，独来穷山中，此岂无得而然哉？

余闻光、黄间多异人，往往阳狂垢污，不可得而见，方山子傥见之与[10]？

【注释】

①光、黄：二州名，光州治今河南潢川县。黄州治今湖北黄冈市。

②朱家：汉鲁人，鲁皆以儒教，而朱家以侠闻。专趋人之急，自关以东，莫不延颈愿交焉。隐脱季布之厄，及布贵，终身不见。郭解：字翁伯，汉河内轵（今河南济源市）人，为人短小精悍，始以游侠睚眦杀人，后折节改行，以德报怨，厚施而薄望报，救人之命，不矜其功。二人《汉书》皆有传。

③岐亭：故城在湖北麻城市西。

④沈归愚云："冠顶曰屋。"《晋书》：江左时野人已著帽，但顶圆耳，后乃高其屋云。

⑤方山冠：汉制，似进贤冠，四时祀宗庙乐人舞佾服之，唐宋时，则隐逸之士多服之。

⑥矍然：惊顾貌。

⑦环堵萧然：环堵，四周每面环一方丈土墙。言居室狭小简陋也。萧然，萧瑟无物之貌。陶渊明《五柳先生传》："环堵萧然，不蔽风日。"

⑧岐下：今陕西岐山县。

⑨方山子：名陈慥，乃凤翔知府陈希亮之子。按照当时制度，他无须考试即可因门荫入官，故云其有勋阀，当得官也。《宋史·职官志》一〇《文臣荫补》："中大夫至中散大夫：子，通仕郎；孙及期亲，登仕

郎。太常卿至奉直大夫：子，登仕郎；孙及期亲，将仕郎。国子祭酒至开封少尹：子孙及小功以上，将仕郎。朝请大夫、带职朝奉郎以上（理职司资序及不带职致仕者同）：子，将仕郎。”北宋很多官员都是通过此途径入官。

⑩傥见：偶然见之也。《庄子·缮性》：“轩冕在身，非性命也。物之傥来，寄也。”成玄英疏：“傥者，意外忽来者耳。”

【译文】

方山子，是光州、黄州一带的隐士。年轻时仰慕汉朝著名的游侠朱家、郭解的为人，乡里侠士都十分崇拜他。随着年岁的增长，他改变志趣，发奋读书，想以此来施展抱负，干一番大事业，但始终都郁郁不得志。晚年就隐遁在光州、黄州间的岐亭。他身居草屋，只吃蔬菜，过着与世隔绝的生活。抛弃原有的车马衣帽，徒步在山里行走，谁也不认识他。人们看他戴的帽子高高耸起，就说：“这不是古代方山冠的样式吗？”因此就称他为方山子。

我贬官后住在黄州，一天路过岐亭，恰好遇见他。我不禁大叫：“啊呀！这是我的老朋友陈季常啊，怎么会在这里呢？”方山子也很惊奇，问起我到这里来的缘由，我把我来这里的缘由告诉了他。他低头不语，忽然仰头大笑起来，邀我到他家住宿。他家徒四壁，但妻儿奴婢的脸上都露出满意的神色，我对此感到十分惊异。我独自想起方山子年轻时的情景，他酗酒任性，又喜好剑术，花起钱来简直如粪土一般。十九年前，我在岐山时，看见方山子带着两个骑马的随从，胳膊底下夹着两支箭，到西山打猎。忽然有只喜鹊从前面飞过，方山子叫随从追上并射它，结果没射中。于是他独自策马直追，一箭射中目标。之后和我在马上大谈用兵之道及古今成败的经验教训，并自认为是一代豪杰。那时到现在才多长时间呀，精明强悍的神色，还显露在他眉宇之间，怎么会成为山中隐士呢？

方山子家世代有功勋，本该做官的，假如他一心活动在官场，现在早已赫赫有名。他老家在洛阳，庭园房舍富丽堂皇，和公侯贵族一样。在黄河以北有田产，每年可收得千匹丝帛，这足够让他的日子过得富足快乐。可他都放弃不要，独自来到这穷山沟之中，这难道说是没有法子才这样的吗？

我听说光州、黄州一带有很多异士，他们往往假装疯癫，满身污垢，我无缘见到他们。方山子或许见过他们吧！

表忠观碑

【题解】

这是作者为表忠观作的一篇碑文。表忠观是宋神宗时期由赵抃奏请，为祭祀吴越国王钱氏所建的庙宇。作者在本文中全录赵抃的奏疏及宋神宗的批复，并作四字句铭一首，以颂扬钱氏的功绩，并阐述宋王朝表彰钱氏的用心。

【原文】

熙宁十年十月戊子[1]，资政殿大学士、右谏议大夫、知杭州军州事臣抃[2]言："故吴越国王钱氏坟庙，及其父祖、妃、夫人、子孙之坟，在钱塘[3]者二十有六，在临安[4]者十有一，皆芜废不治。父老过之，有流涕者。谨按，故武肃王镠[5]，始以乡兵破走黄巢[6]，名闻江淮。复以八都兵讨刘汉宏，并越州，以奉董昌，而自居于杭[7]。及昌以越叛，则诛昌而并越，尽有浙东西之地[8]。传其子文穆王元瓘[9]。至其孙忠显王仁佐[10]，遂破李景兵，取福州[11]。而仁佐之弟忠懿王俶[12]，又大出兵攻景，以迎周世宗之师[13]。其后卒以国入觐[14]。三世四王，与五代相终始。天下大乱，豪杰蜂起，方是时，以数州之地盗名字者，不可胜数。既覆其族，延及于无辜之民，罔有孑遗。而吴越，地方千里，带甲十万，铸山煮海，象犀珠玉之富，甲于天下。然终不失臣节，贡献相望于道。是以其民至于老死，不识兵

革，四时嬉游，歌鼓之声相闻，至于今不废，其有德于斯民甚厚。

皇宋受命，四方僭乱，以次削平。西蜀、江南负其崄远[15]，兵至城下，力屈势穷，然后束手。而河东刘氏[16]，百战守死，以抗王师，积骸为城，酾血为池[17]，竭天下之力，仅乃克之。独吴越不待告命，封府库，籍郡县，请吏于朝。视去其国，如去传舍，其有功于朝廷甚大。昔窦融以河西归汉[18]，光武诏右扶风修理其父祖坟茔，祠以太牢。今钱氏功德，殆过于融，而未及百年，坟庙不治，行道伤嗟，甚非所以劝奖忠臣、慰答民心之义也。臣愿以龙山[19]废佛祠曰妙因院者为观，使钱氏之孙为道士曰自然者居之。凡坟庙之在钱塘者，以付自然；其在临安者，以付其县之净土寺僧曰道微。岁各度其徒一人，使世掌之。籍其地之所入，以时修其祠宇，封殖其草木。有不治者，县令、丞察之，甚者易其人。庶几永终不坠，以称朝廷待钱氏之意。臣抃昧死以闻。"制曰："可。"其妙因院改赐名曰表忠观。铭曰：

天目之山[20]，苕水出焉[21]。龙飞凤舞，萃于临安[22]。笃生异人，绝类离群。奋梃大呼，从者如云。仰天誓江，月星晦蒙[23]。强弩射潮，江海为东[24]。杀宏诛昌，奄有吴越。金券玉册[25]，虎符龙节。大城其居，包络山川。左江右湖[26]，控引岛蛮[27]。岁时归休，以燕父老[28]。晔如神人，玉带球马[29]。四十一年，寅畏小心。厥篚相望[30]，大贝南金[31]。五朝昏乱，罔堪托国。三王相承，以待有德。既获所归，弗谋弗咨。先王之志，我维行之。天胙忠孝[32]，世

有爵邑。允文允武，子孙千亿。帝谓守臣，治其祠坟。毋俾樵牧，愧其后昆。龙山之阳，岿[33]焉新宫。匪私于钱，唯以劝忠。非忠无君，非孝无亲。凡百有位，视此刻文。

【注释】

①熙宁：宋神宗年号。

②抃：赵抃，字阅道，衢州西安（今浙江衢州）人，累官殿中侍御史，弹劾不避权幸，京师号称铁面御史。后以太子少保致仕，卒谥清献。

③钱塘：宋县名，今浙江杭州。

④临安：宋县名，今浙江临安。

⑤钱镠（liú）：字具美，唐末杭州临安人，昭宗时，为镇海镇东军节度使，封越王，又封吴王。唐亡，后梁太祖封吴越国王，是为十国之一。在位四十一年，卒谥武肃。

⑥黄巢：唐末农民起义领袖，僖宗时，率众起义，攻浙东。镠率劲卒二千，伏山谷中，射杀其将，乃引兵趋八百里（八百里，地名也）。告道旁媪曰："后有问者，告曰：临安兵屯八百里。"巢众闻媪语，曰："千余卒尚不可敌，况八百里乎！"遂急引兵过。

⑦唐僖宗时，王仙芝余党曹师雄，寇掠二浙，杭州募诸县兵，使董昌将以讨之，号杭州为八都。刘汉宏为浙东观察使，谋兼并浙东，钱镠屡破之，董昌谓镠曰："汝能取越州，吾以杭州授汝。"镠遂将兵攻克之。昌徙镇越州，以镠知杭州事。

⑧昭宗时，董昌僭号于越州，镠率兵讨昌，进兵越州，昌出战而败，镠斩之。镠既诛昌，乃令两浙吏民上表，请兼领浙东，朝廷不得已，以镠兼领两镇。

⑨元瓘（guàn）：字明宝，镠第七子，在位七年，卒年五十五，谥文穆。

⑩仁佐：字元祐，元瓘第六子，卒年二十，谥忠显。

⑪时诸将李仁达等，自相篡杀，附于李景，已，又叛之。景攻仁达，达求救于仁佐，佐击败景兵，遂取福州。

⑫俶（chù）：字文德，元瓘第九子。

⑬周世宗：名荣，后周太祖养子，本姓柴氏，在位六年。

⑭周世宗显德二年（公元 955 年），俶遣使入贡，世宗令出兵击唐，俶攻常州不克。宋太宗太平兴国三年（公元 978 年），上表献其境内十三州之地，举族归于京师，国除。

⑮西蜀：即后蜀孟昶。江南：即南唐李氏。崄（xiǎn）：阻难也。

⑯河东刘氏：即北汉。

⑰釃（shī）血为池：谓洒血甚多，足以成池。釃：倒酒也。此处用其洒义。

⑱窦融：东汉人，更始时，据有武威、张掖、酒泉、敦煌、金城（治所在今甘肃兰州市）五郡，称五郡大将军。光武平蜀，融入朝，以为冀州牧，后封安丰侯。太牢：古代祭祀，牛、羊、豕三牲全备谓之太牢。

⑲龙山：在杭州西南，即凤凰山之支陇。

⑳天目山：在浙江临安西北五十里，山有两峰，峰顶各一池，左右相对，名曰天目，即《山海经》所谓浮玉山也。

㉑苕水：即苕溪。有两源，皆出天目山，至湖州城中，合流入于太湖。相传夹岸多苕花，秋时飘散水上如飞雪，故名。

㉒郭璞诗："天目山垂两乳长，龙飞凤舞到钱塘。"

㉓《吴越备史》：中和二年（公元 882 年），刘汉宏遣弟汉宥，率兵营于西陵，董昌命王御之。夜将渡江，星月皎然，王祝曰："愿阴云蔽月，以济我师。"俄而云雾四起，咫尺晦暝，王遂渡江破贼。

㉔钱载《十国词笺》云："吴越王钱镠筑捍海塘，怒潮急湍，版筑不就。

乃造竹箭三千只,羽簇俱备,于叠雪楼,命水犀军架强弩五百以射潮,潮头东趋西陵,遂定其基,以铁贯幢用石键之,而塘成。"

㉕唐昭宗赐镠铁券,后唐庄宗赐之玉册金印,镠造玉册金券诏书三楼。

㉖唐景福二年(公元893年),镠筑罗城,自秦望山,由夹城东亘江干,洎钱塘湖、霍山、范浦周七十里。

㉗镠遣使册封新罗、渤海王,海中诸国皆封拜其君长。

㉘《新五代史》:"镠游衣锦城,宴故老,山林皆覆以锦。"

㉙《新五代史》:"(梁)太祖尝问吴越进奏吏曰:'钱镠平生有所好乎?'吏曰:'好玉带名马。'太祖笑曰:'真英雄也!'乃以玉带一匣打球御马十匹赐之。"

㉚篚(fěi):古代盛物的竹器。相望:互相看见。形容接连不断,极言其多。

㉛大贝:上古宝器名。《书·顾命》:"大贝、鼖鼓在西房。"南金:南方所产之铜。代指贵重之物也。

㉜天胙(zuò)忠孝:上天赐予忠孝之人。胙:赐予,分封也。

㉝岿(kuī):高大屹立的样子。

【译文】

熙宁十年(公元1077年)十月戊子日,资政殿大学士、右谏议大夫、杭州知州赵抃上奏说:"从前的吴越国王钱氏的坟墓、陵庙,以及他的父亲、祖父、妃子、夫人、子孙的坟墓,在钱塘的有二十六座,在临安的有十一座,都已荒废无人管理。当地的老年人路过那里,有的竟然忍不住掉眼泪。谨按,从前的吴越国武肃王钱镠,以率领乡兵打败黄巢起义军起家,名闻江淮地区。后来又率领八都兵讨伐刘汉宏,攻占越州，并将它献给了董昌，自己却居住在杭州。等到董昌利用越州反叛朝廷，钱镠便出兵诛灭董昌并兼并越州之地，全部占据了浙东浙西地区。钱镠死后传位给他的儿子文穆王钱元瓘。到钱镠的孙子忠显王钱仁佐时，就打败了李景的军队，夺取了福州。而钱仁佐的弟弟忠懿王钱俶，又大举进兵攻击李景，以便迎接周世宗柴荣的军队。后来钱俶终于将国家入献并觐见称臣。吴越国共历三世经四位国王，与五代的历史相始终。天下大乱，豪杰纷纷起兵，在这个时期，占据几个州的地方就称孤道寡的，数不胜数。这些人自己的家族遭覆灭，祸患波及到无辜的百姓，没有一个漏网之鱼。而吴越一带，有上千里土地，有十万人的军队，冶铁煮盐，象牙犀角、珠宝玉石这类宝物的数量，居天下第一。然而吴越国王始终没有失掉作为臣下的礼节，向朝廷进呈的贡品接连不断。所以这里的百姓直到老死，都没有见识过战争的残酷，一年四季嬉戏游玩，唱歌击鼓的声音互相都听得见，到现在这种风气还存在，可见吴越国王对百姓的恩德是十分丰厚的！

大宋承受天命，天下四方僭称王位的势力，依次被削平。西边的后蜀，江南的南唐倚仗地势险峻路途遥远不肯降服，等到兵临城下，感到自己力量微小势力薄弱，然后才束手就擒。而河东地区的刘氏北汉政权，经历百场战争仍然死守不降，与大宋军队对抗，在这些战斗中死亡的士兵的骸骨堆积成城，流的血积为深池，竭尽全天下的兵力，才勉强攻克它。唯独只有吴越国不等朝廷发出通牒，就先封存仓库、登记好郡县，请求朝廷委派官吏来接收。我看吴越王离开自己的国家，就像离开旅店一样，他对朝廷的功劳是很大的。从前窦融以河西地区归附东汉，汉光武帝诏令右扶风的官员修葺窦融父亲和祖父的坟墓，并用太牢来祭祀。现在吴越国王钱氏的功德，恐怕要超过窦融的功德，然而钱氏归顺大宋还不满百年，他们的坟墓陵庙就没有人修治，过路的人看到了都为之感伤叹息，这实在不是朝廷奖励忠臣、慰藉百姓之心的本意啊！我希望将龙山的一座名叫妙因院的废弃佛寺改建为道观，让钱氏的一位做了道士、叫作自然的后人来居住。凡是在钱塘的钱氏坟墓，都交给自然管理；凡是在临安的钱氏坟墓，都交给县里净土寺的一位叫作道微的和尚管理。每年让他们各自招收一名徒弟，使他们可以世代掌管钱氏坟墓。计算坟墓土地上的收入，按时修葺钱氏一族的祠堂庙宇，培植陵园内的草木。有管理不善的，该县的县令、县丞加以考察，管理太差的还要换人。这样可能就永远不会被毁坏，与朝廷优待钱氏的心意相符。臣赵抃冒死上奏。”皇帝下诏说：“可以。”于是将妙因院改赐名为表忠观。铭文是：

高耸的天目山，苕水从这里发源。山脉河流蜿蜒曲折，在临安汇集。临安有一位异人，才智卓绝超群。他举杖高声一呼，跟从的人像云彩一样多。向上苍祈祷江潮退去，月亮星星为之失色。用强弓硬弩射击潮头，江潮退避而转向东流。诛灭刘汉宏和董昌，全部占有吴越地区。大国赏赐给他铁券和玉册，以及调兵虎符和龙节。拓宽城池让百姓安居乐业，山川环绕景色秀美。左有大江右有湖，威严震慑海上岛国。逢年过节回归故里，宴请家乡父老同欢娱。容光焕发赛似神仙，大国赏赐玉带名马。他在位四十一年，行事小心谨慎。向大国朝贡从未间断，进献的都是珍贵的宝物。五代的君主都昏庸无能，不值得以国相托来寻求庇护。子孙相传历经三王，一心等待有德的君主。自从归顺大宋，没有其他图谋也没有怨恨。这本来就是先王的志向，我只不过把它付诸实施而已。上天赐予忠孝之人，世代享有爵位和封邑。子孙后代千千万万，个个都能文能武。我大宋皇帝向地方官下命令，整理修缮钱氏一族的坟墓陵庙。禁止进去砍柴放牧，以免愧对后世子孙。高高的龙山之南，新修的宫庙岿然耸立。并不是只偏私于钱氏，而是用以劝勉忠臣。没有忠心就没有国君，没有孝道就没有亲恩。天下后世继位之君，请读读这篇碑文。

潮州韩文公庙碑

【题解】

这是作者给潮州韩愈庙所作的一篇碑文。文章记叙了韩愈在政治、思想、文学等方面的卓越成就，系统概括了韩愈重要的一生。作者在为韩愈鸣不平的过程中，也抒发了自己对宦海沉浮的感叹。

【原文】

匹夫而为百世师，一言而为天下法，是皆有以参天地之化，关盛衰之运。其生也有自来，其逝也有所为。故申、吕自岳降[①]，而傅说为列星[②]，古今所传，不可诬也。《孟子》曰："吾善养吾浩然之气。"是气也，寓于寻常之中，而塞乎天地之间。卒然遇之[③]，则王公失其贵，晋、楚失其富，良、平[④]失其智，贲、育[⑤]失其勇，仪、秦[⑥]失其辩。是孰使之然哉？其必有不依形而立，不恃力而行，不待生而存，不随死而亡者矣。故在天为星辰，在地为河岳；幽则为鬼神，而明则复为人。此理之常，无足怪者。

自东汉以来，道丧文弊，异端并起。历唐贞观、开元之盛，辅以房、杜、姚、宋[⑦]而不能救。独韩文公起布衣，谈笑而麾之，天下靡然从公，复归于正，盖三百年于此矣。文起八代[⑧]之衰，而道济天下之溺；忠犯人主之怒[⑨]，而勇夺三军之帅[⑩]。岂非参天地，关盛衰，浩然而独存者乎？盖尝论天人之辨，以谓人无所不至，惟天不容伪。智可以

欺王公，不可以欺豚鱼[11]；力可以得天下，不可以得匹夫匹妇之心。故公之精诚，能开衡山之云[12]，而不能回宪宗之惑；能驯鳄鱼之暴[13]，而不能弭皇甫镈、李逢吉之谤[14]；能信于南海之民，庙食百世，而不能使其身一日安于朝廷之上。盖公之所能者，天也；所不能者，人也。

始，潮人未知学，公命进士赵德为之师，自是，潮之士皆笃于文行，延及齐民。至于今，号称易治。信乎孔子之言："君子学道则爱人，小人学道则易使也。"潮人之事公也，饮食必祭，水旱疾疫，凡有求必祷焉。而庙在刺史公堂之后，民以出入为艰。前守欲请诸朝作新庙，不果。元祐五年[15]，朝散郎王君涤来守是邦，凡所以养士治民者，一以公为师。民既悦服，则出令曰："愿新公庙者听。"民欢趋之。卜地于州城之南七里，期年而庙成。或曰："公去国万里，而谪于潮，不能一岁而归。没而有知，其不眷恋于潮，审矣。"轼曰："不然。公之神在天下者，如水之在地中，无所往而不在也。而潮人独信之深，思之至，焄蒿凄怆[16]，若或见之。譬如凿井得泉，而曰水专在是，岂理也哉！"元丰七年[17]，诏封公昌黎伯，故榜曰"昌黎伯韩文公之庙"。潮人请书其事于石，因作诗以遗之，使歌以祀公。其词曰：

公昔骑龙白云乡[18]，手抉云汉分天章[19]，天孙为织云锦裳[20]。飘然乘风来帝旁，下与浊世扫秕糠[21]。西游咸池略扶桑[22]，草木衣被昭回光[23]。追逐李杜参翱翔[24]，汗流籍湜走且僵[25]。灭没倒景不可望[26]，作书诋佛讥君王。要观南海窥衡湘[27]，历舜九嶷吊英皇[28]。祝融先驱海若藏[29]，约

束蛟鳄如驱羊。钧天无人帝悲伤[30]，讴吟下招遣巫阳[31]。犦牲鸡卜羞我觞[32]，於粲荔丹与蕉黄[33]。公不少留我涕滂，翩然被发下大荒[34]。

【注释】

①《诗·大雅·崧高》："维岳降神，生甫及申。"注：甫，甫侯也，即穆王时作吕刑者。申，申伯也。言岳山降其神灵和气，以生甫侯申伯也。

②傅说(yuè)为列星，《庄子》："傅说得之，以相武丁，奄有天下，乘东维，骑箕尾，而比于列星。"

③卒(cù)：突然。

④良、平：谓汉代开国宰相张良、陈平。

⑤贲(bēn)、育：谓孟贲、夏育，皆古勇士。《韩非子·守道》："战士出死，而愿为贲、育。"

⑥仪、秦：战国时辩士张仪与苏秦。

⑦房玄龄、杜如晦，太宗时相。姚崇、宋璟，玄宗时相。

⑧八代：谓东汉，魏，晋，宋，齐，梁，陈，隋。

⑨唐宪宗元和十四年(公元819年)，愈为刑部侍郎，宪宗令杜英奇等迎佛骨入大内，留禁中三日，愈上表极谏。宪宗怒，贬愈为潮州刺史。

⑩唐穆宗初，镇州乱，杀帅田弘正，而立王廷凑，诏愈宣抚，愈至，力折其党，廷凑礼而归之。

⑪《易》：中孚豚鱼吉。又，豚鱼吉，信及豚鱼也。李纲曰："言圣人仁心感物，及于胎卵也。"

⑫愈有《谒衡岳庙遂宿岳寺题门楼》云："我来正逢秋雨节，阴气晦昧

无清风。潜心默祷若有应，岂非正直能感通。须臾静扫众峰出，仰见突兀撑青空。"此所谓开衡山之云者，盖指此也。

⑬愈至潮，问民疾苦，皆曰：恶溪有鳄鱼，食民产且尽。数日，愈令其属秦济，以一羊一豚，投溪水而祝之。其夕，暴风震电起溪中，数日水尽涸，西徙六十里，自是潮州无鳄鱼患。

⑭宪宗得愈潮州谢表，颇感悔，欲复用之。皇甫镈忌愈，对曰："愈太狂疏，可量移一郡。"乃授袁州刺史。李逢吉恶李绅，欲逐之，以绅为御史中丞，愈为京兆尹，逢吉激二人使争，因奏二人不协，遂罢其官。

⑮元祐：宋哲宗年号。

⑯焄(xūn)蒿凄怆，《礼·祭义》："焄蒿凄怆，此百物之精也，神之著也。"注：焄，谓香臭气味。蒿，谓气蒸出貌也，言此香臭蒸而上出，其气蒿然也。

⑰元丰：宋神宗年号。

⑱《庄子》："乘彼白云，至于帝乡。"谓愈昔日骑龙作马，游于仙乡。白云乡：仙乡也。

⑲《诗》："倬彼云汉，为章于天。"云汉：天河。天章：天文，谓日月星辰。喻美好之诗文。

⑳天孙：织女也，言织女为愈织就云锦裳也。

㉑浊世秕糠：喻佛老之邪乱也。

㉒咸池：传说中日浴之处。《楚辞·离骚》："饮余马于咸池兮，总余辔乎扶桑。"扶桑：传说日出于扶桑之下，拂其树杪而升，因谓日出之处也。《楚辞·九歌·东君》："暾将出兮东方，照吾槛兮扶桑。"这里代指太阳。

㉓言愈之道光辉发越，虽草木亦溥及之，犹日月之昭回于天，而有光

明也。

㉔追逐李杜参翱翔：言公与李、杜不相上下。

㉕汗流籍湜走且僵：张籍、皇甫湜，亦名于天下，而不及韩愈远甚。张籍，字文昌，和州乌江（今安徽和县）人也。贞元十五年（公元799年）及第。授秘书郎，历太祝，除水部员外郎。皇甫湜，字持正，睦州新安（今浙江淳安）人。擢进士第，为陆浑尉，仕至工部郎中。

㉖景：同“影”，日月之行度，有光影冲激谓之灭没。人在日月之上，下见日月之光从下照，故其景倒。谓世之人老死而灭没于日月倒景之中，皆不可望愈道德之光。

㉗愈被谪潮州，奔驰上道，终涉岭海，水陆万里，此谓要观南海，窥衡湘山水之间。

㉘九嶷：山名，在湖南宁远县南。尧以二女妻舜，长曰娥皇，次曰女英，从舜南狩三苗，道死衡湘之间，愈历行舜所巡之地吊娥皇、女英之灵。

㉙祝融：南海之神。《楚辞·离骚》云：“使湘灵鼓瑟兮，令海若舞冯夷。”皆海神也。言祝融为先驱于前，而海若将率怪物以敛藏也。

㉚《吕氏春秋》：“中央曰钧天。”注：钧，平也，为四方主，故曰钧天。谓大钧之天无人辅佐，愈殁于长庆四年（公元824年），敬宗为之感伤也。

㉛巫阳：古之善筮者，言巫阳讴吟此时，下招愈之魂。

㉜犦（bào），即犎牛。一种颈背部隆起的野牛。鸡卜：古代占卜法之一。以鸡骨或鸡卵占吉凶祸福。谓以犦牲、鸡卜之薄，而羞进我之酒觞，抑以表诚，非厚仪也。

㉝於（wū）：表示感叹、赞美的语气。《诗经·周颂·清庙》：“於穆清庙，肃雍显相。”韩愈《罗池庙碑》：“荔子丹兮蕉黄”，为迎送柳子厚

之歌也。东坡引用其事，使潮人以此祭愈，亦如愈使人以此祭柳子厚也。

㉞愈有诗云："翩然下大荒，被发骑麒麟。"大荒：地也。

【译文】

一个普通人却成为世世代代的榜样，一句话却成为天下人效法的准则，这是因为他们的品行可以和天地化育万物相提并论，也关系到世道的盛衰。他们的出生是有来历的，他们的逝世也是有所作为的。所以申伯、吕侯是由高山之神降生，傅说死后成为天上的星宿，这是从古至今的传说，是不能否认的。孟子说："我善于培养我的正大刚直之气。"这种气，寄托在平常事物中，又充塞于天地之间。突然遇上它，那么王公贵族会失去他们的尊贵，晋、楚两国会失去它们的富饶，张良、陈平会失去他们的智慧，孟贲、夏育会失去他们的勇武，张仪、苏秦会失去他们的辩才。是什么使它这样的呢？那一定有一种不依附形体而成立，不依靠外力而行动，不等待出生而存在，不随着死亡而消逝的东西。所以在天上就成为星宿，在地下就成为河岳山川；在阴间就成为鬼神，在阳世便又成为人。这个道理十分平常，不值得奇怪。

从东汉以来，儒道沦丧，文风败坏，各种邪说一并出现。历经唐朝贞观、开元的兴盛时期，虽有房玄龄、杜如晦、姚崇、宋璟等人辅佐，仍然不能挽救。只有韩文公(即韩愈)出身平民，在谈笑中从容倡导古文运动，天下人纷纷倾倒追随他，使思想和文风又回到正路上来，到现在已经有三百年左右了。他的文章振起八代以来的衰颓文风，他对儒学的宣扬拯救了沉溺在佛道邪说中的天下人；他的忠诚曾激起皇帝的怒气，他的勇气却折服三军的主帅。这难道不是与化育万物的天地相并列，关系到世道盛衰，正大刚直而独立存在的正气吗？我曾谈论过天道和人事的区别，认为人无所不为，只有天不容许人作伪。人的智谋可以欺骗王公贵族，却不能欺骗小猪和鱼；人的力量可以取得天下，却不能得到平民百姓的心。所以韩公的一腔赤诚，能驱散衡山的阴云，却不能让佞佛的宪宗皇帝回心转意；能驯服鳄鱼的凶暴，却不能消弭皇甫镈、李逢吉的诽谤；能取信于南海（指潮州一带）的百姓，世世代代享受供奉祭祀，却不能使自己在朝廷上有一天的安宁。大概韩公能够遵从的，是天道；他不能左右的，是人事。

从前，潮州人不知道学习，韩公让进士赵德做他们的老师，从那时起，潮州的读书人都专注于学业和德行的进步。这种风气影响到平民百姓，直到现在，潮州仍然被称作是容易治理的地方。现在信了孔子说的话："君子学习了礼乐就会爱护他人，平民百姓学习了礼乐就容易使唤。"潮州人敬奉韩公，吃喝的时候必定会祭祀他，遇到水旱灾害、疾病瘟疫，凡有所求必定要去庙里祈祷。可是祠庙在州官衙门大堂的后面，百姓感到进出不方便。前任州官想向朝廷申请建造新的祠庙，没有成功。元祐五年（公元1090年），朝散郎王涤到此地任职，凡是用来培养士子、治理百姓的措施，完全以韩公为榜样。当地百姓都心悦诚服后，便下命令说："愿意重新修建韩公祠庙的人都来听令。"老百姓都高兴地赶来参加。在州城南面七里的位置选了一块地，一年时间新庙就修成了。有人说："韩公远离京城上万里，被贬而来到潮州，不满一年就回去了。他死后有知的话，是不会眷恋潮州的，这是显而易见的。"我说："不是这样的。韩公的神灵在人间，就像水在地上，没有什么地方不存在。而且潮州人对韩公的敬奉尤其深厚，思念尤其恳切。每当祭祀时香雾缭绕，让人不由得产生悲伤凄怆的感觉，就像见到了他一样。就好比挖一口井得到了水，就说水只在这口井里，难道有这样的道理吗？”元丰七年（公元1084年），皇帝下诏封韩公为昌黎伯，所以祠庙的匾额题为“昌黎伯韩文公之庙”。潮州人请我书写他的事迹刻在石碑上，因而作首诗送给他们，让他们歌唱着祭祀韩公。诗文说：

您昔日骑龙畅游仙乡，手拨银河挑开星辰，织女织就云锦衣裳。乘风来到皇帝身旁，下降人间扫除异端。西游咸池东览扶桑，光明普照润泽草木。名追李杜比翼翱翔，籍湜盛名黯然无光。光辉耀眼不可仰望，上书斥佛讽谏君王。被贬南海途经衡湘，九嶷山下凭吊英皇。祝融开路大海若藏，管束蛟鳄如同牧羊。天界无人天帝悲伤，派遣巫阳下招魂魄。祭祀占卜敬献美酒，荔枝香蕉色泽鲜明。公不停留百姓哭泣，翩然披发返回大荒。

徐州莲花漏铭并叙

【题解】

本文是作者为徐州莲花漏所作的铭文。作者在文中盛赞燕肃所制莲花漏的精巧，文末则画龙点睛，论述为官之道。

【原文】

故龙图阁直学士、礼部侍郎燕公肃[①]，以创物之智闻于天下。作莲花漏[②]，世服其精。凡公所临，必为之。今州郡往往而在，虽有巧者，莫敢损益。而徐州独用瞽人卫朴所造[③]，废法而任意，有壶而无箭，自以无目而废天下之视。使守者伺其满，则决之而更注，人莫不笑之。国子博士傅君裼[④]，公之外曾孙，得其法为详。其通守是邦也，实始改作，而请铭于轼。铭曰：

人之所信者，手足耳目也。目识多寡，手知重轻。然人未有以手量而目计者，必付之于度量与权衡[⑤]。岂不自信而信物？盖以为无意无我，然后得万物之情。故天地之寒暑，日月之晦明，昆仑旁薄于三十八万七千里之外，而不能逃于三尺之箭，五斗之瓶。虽疾雷、霾[⑥]风、雨雪、昼晦，而迟速有度，不加亏赢。使凡为吏者，如瓶之受水，不过其量；如水之浮箭，不失其平；如箭之升降也，视时之上下，降不为辱，升不为荣。则民将靡然而心服，而寄我以死生矣。

【注释】

①《宋史》本传:燕肃,性精巧,尝造指南记里鼓二车以献,又上莲花漏法,诏司天台考于钟鼓楼下,云,不与《崇天历》合。然肃所至皆刻石记其法,州郡用之以候昏晓,推其精密。

②漏:古计时器,其制不一,以铜壶受水,徐徐下滴,水满则有漏箭浮而上出,以其分数计时。

③瞽人卫朴:《梦溪笔谈》卷一八:"淮南人卫朴,精于历术,一行之流也。《春秋》日蚀三十六,诸历通验,密者不过得二十六、七,唯一行得二十九;朴乃得三十五,唯庄公十八年一蚀,今古算皆不入蚀法,疑前史误耳。自夏仲康五年癸巳岁,至熙宁六年癸丑,凡三千二百一年,书传所载日食凡四百七十五。众历考验,虽各有得失,而朴所得为多。朴能不用算,推古今日月蚀,但口诵乘除,不差一算。凡大历悉是算数,令人就耳一读,即能暗诵;傍通历则纵横诵之。尝令人写历书,写讫,令附耳读之,有差一算者,读至其处,则曰:'此误某字。'其精如此。大乘除皆不下照位,运筹如飞,人眼不能逐。人有故移其一算者,朴自上至下,手循一遍,至移算处,则拨正而去。熙宁中撰《奉元历》,以无候簿,未能尽其术。自言得六七而已,然已密于他历。"

④裼(tì):婴儿的包被。

⑤度量:齐物之器,如丈尺等。权衡:称物轻重之器。

⑥霾(mái):大风扬尘,土从上下也。《尔雅·释天》:"风而雨土为霾。"

【译文】

已故龙图阁直学士、礼部侍郎燕肃,以善于创制器具而闻名于世。他制作的莲花漏，世人无不叹服其精巧。凡是燕公所到之处，一定会亲手制作器具。现在很多州郡都有燕公制作的漏刻，即使有技艺巧妙的人，也不敢擅自改变。唯独只有徐州使用的是盲人卫朴制作的漏刻，废除成法而任意妄为，有漏壶但没有漏箭，因为自己看不见而让天下人也无法看见。让人守在漏刻旁边等待漏壶中的水滴满，然后把水倒掉再把漏刻装满，没有哪个人不嘲笑他的。国子监博士傅裼，是燕公的外曾孙，对莲花漏的制作方法了如指掌。他在徐州任职期间，才根据燕公的方法重新制作莲花漏，因而请我写一篇铭文。铭文是：

人可以依靠和相信的，是自己的手、脚、耳朵、眼睛。眼睛可以看出物品的多少，手可以掂量物品的轻重。然而人有不能用手测度轻重和用眼睛计量多少的时候，必然要用尺和秤来衡量。这难道不是不相信自己反而相信外物吗？我认为人要进入没有意念没有自我的境界，然后才能洞悉万物的实情。所以天地的冷与热，日月的明与暗，昆仑山绵延三十八万七千里，却都不能摆脱时间的限制。即使是迅雷、阴风、雨雪、昼晦出现的时候，漏刻滴水仍然不快不慢，井然有序。如果凡是做官的人，都像装水的漏壶那样，不超出自己的底线；像水中的浮箭那样，不失去自己的平正；像漏箭那样，根据时辰的变化来决定自己的升降，降不感到耻辱，升也不感到荣耀。那么老百姓就会倾心归附、心悦诚服，从而能放心地将生死大事都托付给官员。

文与可飞白赞

【题解】

本文是文与可逝世后，作者见到其飞白体而作。在文中，作者既称赞了文与可书法的精妙，又表达了沉痛的悼念之情。

【原文】

呜呼哀哉！与可岂其多好，好奇也欤？抑其不试[1]，故艺也[2]？始余见其诗与文，又得见其行、草、篆、隶也，以为止此矣。既没一年，而复见其飞白，美哉多乎！其尽万物之态也。霏霏[3]乎其若轻云之蔽月，翻翻[4]乎其若长风之卷旆也，猗猗[5]乎其若游丝之萦柳絮，袅袅[6]乎其若流水之舞荇带也，离离[7]乎其远而相属，缩缩[8]乎其近而不隘也。其工至于如此，而余乃今知之。则余之知与可者固无几，而其所不知者盖不可胜计也。呜呼哀哉！

【注释】

①试：用。不试：言不为世用。

②《论语·子罕》："牢曰：'子云：吾不试，故艺。'"言不为世用，故得以习于艺而通之。

③霏霏：浓密之貌。《楚辞·九章·涉江》："霰雪纷其无垠兮，云霏霏而承宇。"

④翻翻：翻飞之貌。

⑤猗猗：美盛之貌。《诗经·卫风·淇奥》："瞻彼淇奥，绿竹猗猗。"

⑥袅袅：缭绕的样子。荇带：如带飘舞之荇菜也。多年生水生草本植物，叶略呈圆形，嫩时可食。

⑦离离：若断若续貌；相连貌。

⑧缩缩：收敛、缩藏之貌也。

【译文】

真是悲哀啊！文与可难道是爱好太多，还是只是追求新奇呢？又或者是屡试不中，所以把才华运用到书画技艺上？起初我看到的是他的诗和文，后来又见到了他的行书、草书、篆书、隶书等书法，以为他的才华就只有这些了。等到他死后一年，又见到了他的飞白，真是太美了！简直能够穷尽万物的情态。浓密飘逸的地方像轻云蔽月，翻腾飞舞的地方像风卷旌旗，细长柔美的地方像飘动的蛛丝萦绕着柳絮，纤细轻盈的地方像水草在流水中飘动，笔画疏离的地方遥相呼应，笔画密集的地方不显拥挤。它的工巧居然能到这种程度，而我今天才知道。那么我对文与可的了解并没有多少，而不了解的却不可胜数。真是悲哀啊！

上王兵部书

【题解】

这是作者写给江陵知府王子融的一封信。这封信的主要内容是以伯乐相千里马作比方，希望王子融能推荐自己入仕。虽难免有赞誉之词，但总体来说，作者的态度还是不卑不亢，落落大方的。

【原文】

荆州，南北之交，而士大夫往来之冲①也。执事以高才盛名，作牧②于此，盖亦尝有以相马之说，告于左右者乎？闻之曰：骐骥之马，一日行千里而不殆，其脊如不动，其足如无所著，升高而不轾，走下而不轩③。其伎艺卓绝，而效见明著，至于如此，而天下莫有识者，何也？不知其相，而责其技也。

夫马者，有昂目而丰臆④，方蹄而密睫；捷乎若深山之虎，旷乎若秋后之兔；远望目若视日，而志不存乎刍粟；若是者飘忽腾踔⑤，去而不知所止。是故古之善相者，立于五达之衢，一目而眄⑥之，闻其一鸣，顾而循其色，马之技尽矣。何者？其相溢于外而不可蔽也。士之贤不肖，见于面颜，而发泄于辞气，卓然其有以存乎耳目之间。而必曰久居而后察，则亦名相士者之过矣。

夫轼，西川之鄙人，而荆之过客也。其足迹偶然而至于执事之门，其平生之所治以求闻于后世者，又无所挟持

以至于左右，盖亦易疏而难合也。然自蜀至于楚，舟行六十日，过郡十一，县三十有六，取所见郡县之吏数十百人，莫不孜孜论执事之贤，而教之以求通于下吏。且执事何修而得此称也？轼非敢以求知，而望其所以先后于仕进之门者，亦徒以为执事立于五达之衢，而庶几乎一目之眄，或有以信其平生尔。夫今之世，岂惟王公择士，士亦有所择。轼将自楚游魏⑦，自魏无所不游，恐他日以不见执事为恨也，是以不敢不进。不宣。

【注释】

①冲(chōng)：通行的大路，重要的地方。

②牧：古代治民之官。

③升高而不轾(zhì)，走下而不轩：谓登高时车不为之冲，下坡时车不为之退。车前高后低为轩，前低后高为轾。

④丰臆：胸臆丰满健壮。臆：胸。

⑤腾踔(chuō)：轻捷貌。踔：跳跃。

⑥眄(miàn)：斜视。

⑦自楚游魏：楚指荆州，魏指京师一带，战国时为魏国也。春秋晋国为韩、赵、魏三家瓜分后，魏国建都于安邑(今山西夏县西北)。魏惠王迁都于大梁(今河南开封)，故其国也被称为梁国。

【译文】

荆州，南北交会之处，是士大夫往来的大路。执事您因高才大名，在此地做州官，大概曾经也有人把观察马的优劣的方法告诉您吧？听他们说：骐骥之类的良马，一天行走千里而不懈怠，它的脊背像没有动过，它的脚像没有落过地，拉车上坡而车不后仰，下坡而车不前倾。它的本领高超，而功效显著，竟然到了这种程度，然而天下没有认识的人，为什么呢？不了解它的形貌，却苛责它的本领。

这种良马，有高昂的头，结实的胸脯，方正的蹄子，浓密的睫毛；像深山里的老虎一样敏捷，像秋后的野兔一样奔放；举目远望，眼睛好像看着太阳，它的志向不在草料的好坏；跑起来轻快迅捷，一下子就不见踪影。因此古时善相马的人，站在四通八达的大路上，看它一眼，听它叫一声，回头察看它的毛色，马的本领就全部清楚了。为什么呢？是因为它的形貌特征表露在外而不可能被掩盖。士子的贤能与不肖，从面容形貌显现出来，而从言辞声气发泄出来，他有独特的征象存在于耳目之间。然而说一定要长久相处而后再考察，那么也就是名为相士的人的过错了。

我苏轼，是西川的鄙陋之人，荆州的过客。足迹偶然到达执事您的门下，平生努力学习而希望留名于后世，但没有什么东西敬献给您左右的人，这恐怕容易遭到冷落而难以遇合吧。然而从蜀地到楚地，船行六十天，经过十一个郡，三十六个县，见到的郡县官吏有上百人，没有哪个不详细地谈论执事您的贤能，而教我怎么通过您手下的小吏请求会面。不知您怎样修养而获得这样的称赞呢？我不敢奢望得到您的赏识，而谋求提前进入仕途，而只是认为执事您站在四通八达的大路上，哪怕只看上我一眼，那我这生平的志向就能得以伸展了。当今的时世，哪里只是达官贵人选择士子，士子也将有所选择。我将要从楚地游历到魏地，从魏地开始就没有哪里不去游历了，担心以后的日子因不能见到您而引以为恨事，因此不敢不奉上此信。言不尽意。

答李端叔书

【题解】

这是作者谪居黄州后给李端叔写的一封回信。作者此时刚刚经历了“乌台诗案”的打击，在信中含蓄地表达了对仕途险恶、人情冷暖的感叹，对自己无端遭受迫害的满腔愤懑。

【原文】

轼顿首再拜：闻足下名久矣！又于相识处，往往见所作诗文，虽不多，亦足以仿佛其为人矣。寻常不通书问，怠慢之罪，犹可阔略；及足下斩然在疚[1]，亦不能以一字奉慰。舍弟子由至，先蒙惠书，又复懒不即答，顽钝废礼，一至于此。而足下终不弃绝，递中再辱手书，待遇益隆，览之面热汗下也。

足下才高识明，不应轻许与人，得非用黄鲁直、秦太虚[2]辈语，真以为然耶？不肖为人所憎，而二子独喜见誉，如人嗜昌歜、羊枣[3]，未易诘其所以然者。以二子为妄则不可，遂欲以移之众口，又大不可也。

轼少年时，读书作文，专为应举而已。既及进士第，贪得不已，又举制策[4]，其实何所有？而其科号为直言极谏，故每纷然诵说古今，考论是非，以应其名耳。人苦不自知，既以此得，因以为实能之，故譊譊至今，坐此得罪几死，所谓齐虏以口舌得官[5]，真可笑也！然世人遂以轼为

欲立异同，则过矣。妄论利害，搀说[⑥]得失，此正制科人习气。譬之候虫时鸟，自鸣自已，何足为损益？轼每怪时人待轼过重，而足下又复称说如此，愈非其实。得罪以来，深自闭塞。扁舟草屦，放浪山水间，与樵渔杂处，往往为醉人所推骂，辄自喜渐不为人识。平生亲友，无一字见及，有书与之，亦不答，自幸庶几免矣；足下又复创相推与，甚非所望。木有瘿[⑦]，石有晕[⑧]，犀有通[⑨]，以取妍于人，皆物之病也。谪居无事，默自观省，回视三十年以来所为，多其病者。足下所见皆故我，非今我也。无乃闻其声不考其情，取其华而遗其实乎？抑将又有取于此也？此事非相见不能尽。自得罪后，不敢作文字，此书虽非文，然信笔书意，不觉累幅，亦不须示人，必喻此意！岁行尽，寒苦，惟万万节哀强食！不次。

【注释】

①斩然在疚：丧制三年曰斩。是指李之仪此时正在家丁母忧。时苏轼刚因“乌台诗案”而得罪居黄州（今属湖北黄冈市），“平生亲友”避之惟恐不及。

②黄庭坚，宋洪州分宁（今江西修水）人，字鲁直，自号山谷道人，晚号涪翁。早年以文章诗词受知于苏轼，与张耒、晁补之、秦观并称“苏门四学士”。江西诗派开创者。秦观，宋扬州高邮人，字少游，又字太虚，号淮海居士。“苏门四学士”之一，尤工词，为北宋婉约派重要作家。著有《淮海集》。

③昌歜（chù）：昌蒲菹也。《说苑》：“文王好食昌本菹。”羊枣：《孟子·尽心下》：“曾皙嗜羊枣。”注：羊枣，实小黑而圆，又谓之羊矢枣。

④制策:天子之策问也。东坡于嘉祐二年(公元1057年)试礼部,擢第二,《春秋》对义第一,殿试中乙科,五年(公元1060年),欧阳修以才识兼茂荐之,复封制策,入三等。

⑤《史记·刘敬列传》:"上怒,骂刘敬曰:'齐虏以口舌得官,今乃妄言沮吾军!'"

⑥搀说:纷纷议论。

⑦瘿:木之结处隆起,如人之颈瘿。

⑧晕:日旁气也,言石之有花纹者,如日之晕也。

⑨犀有通:犀角有纹如线,通两头者,曰通天犀。《抱朴子》:通天犀得其角三寸以上,刻为鱼,衔以入水,水常为开。

【译文】

苏轼顿首再拜:听说您的大名已经很久了!又在相识的友人那里,时常见到您所作的诗文,虽然所见不多,也足以大致评断您的为人了。平时不通书信,怠慢之罪,尚可宽恕;等到您居丧丁忧,也没有只言片语来慰问您。倒是我弟弟子由来,先捎来先生的书信,我又犯懒没有立即回复,顽劣愚钝没有礼貌,竟到了这个地步。可是您始终不抛弃我,驿站又送来您的亲笔信,待我更加隆重,看了之后真令我脸热汗流啊。

先生才华横溢,见识高明,不应该轻易赞许一个人,莫非您是相信了黄庭坚、秦观这些人的话,真以为我是这样吗?我不才,为人所憎恨,唯独这两个人喜欢赞扬我,就像一个人喜欢吃昌歜、羊枣,不能轻易诘问他之所以这样做的原因。认为这两个人不对是不应该的,于是想要把他们的看法强加给众人,又更加不行了。

我年少时读书写文章,不过专门为了应对科举罢了。等到进士及第，贪得无厌，又去考制策，实际上有什么才能呢？制策意在选拔直言极谏之臣，所以常常纵论古今，评论是非，不过是应和这个科名罢了。人苦于没有自知之明，我已经得到了这个职位，于是就认为自己有经邦济世之才，所以到今天还争辩不休，险些因此获罪而死，这就是所谓的齐人刘敬凭借能言善辩得到官职，实在可笑啊！然而世上的人于是就认为我苏轼直言进谏是想要标新立异，那就错了。胡乱地谈论为政的利害，轻易地论说为政的得失，这正是制科之人的不良习气。譬如候鸟时虫，自鸣得意，哪里谈得上有什么损害和补益呢？我时常惊讶时人过于看重我苏轼，而现在先生您又像这样称赞我，这就更加不是我的真实情况了。获罪以来，就将自己封闭起来了。时常穿着草鞋，驾一叶扁舟，放浪形骸于山水之间，与樵夫渔民杂处，常常被路上碰见的醉汉推搡辱骂，就很高兴自己渐渐不被人认识了。平生亲友，没有只言片语寄给我，即便给他们写信，也不见回复，大多还在暗自庆幸未受我牵连。现在您又来赞扬我，这尤其不是我所期望的。树木上有木瘤，石头上有晕斑，犀牛角上有线纹，以此来取悦于人，这都是事物的病态。被贬以来，无所事事，我默默地深自反省，回首我这三十年来的所作所为，大多都是这种病态。先生知道的都是过去的我，不是现在的我。恐怕您只是听到我的名声而没有考察我的实情，只采摘了花朵而遗漏了果实？还是想要从我这些“病态”中有所收获？这件事不当面讲说不清楚。自从我获罪后，就不敢再写文章，这封回信虽算不得什么文章，但信笔直抒胸臆，不知不觉累积成篇，先生也不要给别人看，一定要明白我的意思！一年将尽，十分寒冷，希望您千万要节制悲伤的情绪而努力进食！不再详说了。

祭柳子玉文

【题解】

本文是一篇祭文。作者在文中颂扬了柳子玉高洁的品行，并深情回忆了自己与柳子玉的交往过程。全文感情真挚，读之催人泪下。

【原文】

猗欤子玉，南国之秀。甚敏而文，声发自幼。从横武库[①]，炳蔚文囿[②]。独以诗鸣，天锡雄咮[③]。元轻白俗[④]，郊寒岛瘦[⑤]。嘹然一吟，众作卑陋。凡今卿相，伊昔朋旧[⑥]。平视青云[⑦]，可到宁骤。孰云坎轲[⑧]，白发垂脰[⑨]。才高绝俗，性疏来诟[⑩]。谪居穷山，遂侣猩狖[⑪]。夜衾不絮，朝甑绝馏[⑫]。慨然怀归，投弃缨绶[⑬]。潜山之麓[⑭]，往事神后[⑮]。道味自饴，世芬莫齅[⑯]。凡世所欲，有避无就。谓当乘除，并畀之寿。云何不淑，命也谁咎？顷在钱塘[⑰]，惠然我觏。相从半岁，日饮醇酎[⑱]。朝游南屏[⑲]，暮宿灵鹫[⑳]。雪窗饥坐，清阕间奏。沙河夜归[㉑]，霜月如昼。纶巾鹤氅[㉒]，惊笑吴妇。会合之难，如次组绣。翻然失去，覆水何救。维子耆老，名德俱茂。嗟我后来，匪友惟媾[㉓]。子有令子，将大子后。颀然二孙，则谓我舅。念子永归，涕如悬溜[㉔]。歌此奠诗，一樽往侑。

【注释】

①从横:即“纵横”。武库:谓学识渊博如武器在库也。《晋书·裴頠传》:頠弘雅有远识,博学稽古,自少知名。周弼见而叹曰:頠若武库,五兵纵横,一时之杰也!

②炳蔚:喻文采华美。《周易·革卦》:“大人虎变,其文炳也。君子豹变,其文蔚也。”文囿:犹今言文坛之意。萧统《文选序》:“余监抚余闲,居多暇日,历观文囿,泛览辞林。”

③天锡:上天所赐。雄咮(zhòu):谓雄辩滔滔的能力。咮,本指禽鸟的嘴。

④元:谓元稹,字微之,唐河南人,善为诗,以平易胜。白:谓白居易,字乐天,唐太原人,所为诗,深厚丽密,而平易近人,老妪都解。

⑤郊:谓孟郊,字东野,唐武康(今浙江德清)人,诗托兴深微,结体古奥,唐人自韩愈以下,莫不推之。岛:谓贾岛,字浪仙,唐范阳(治今河北涿州)人,初为浮屠,后去而举进士,官长江主簿,世称贾长江。

⑥伊昔:从前。伊:发语词。

⑦平视青云:意谓对功名利禄并不在意。平视:轻视。青云:指功名爵位。

⑧坎轲:即坎坷。

⑨白发垂脰(dòu):谓满头白发已经垂到脖项。脰:颈项。

⑩才高绝俗,性疏来诟:谓人的才能过高便不为世俗所容,性格疏放便会惹来诟谤。

⑪猩狖(yòu):猩猩与猿猴。狖:长尾猴。

⑫甑(zèng):炊具,底有孔,俗名甑子。馏(liù),把半熟的食物蒸熟或把熟的食物蒸热。此句言生活贫困。

⑬缨绶:冠带与印绶,指官位。

⑭潜山:在今安徽潜山县西北。

⑮神后：后土。谓弃官归农。

⑯齅：以鼻子闻气味。

⑰顷在钱塘：指熙宁间任杭州通判时。

⑱醇酎：谓重酿之酒也。

⑲南屏：杭州山名。今杭州八景所谓“南屏晚钟”，即此山也。

⑳灵鹫：即今杭州之飞来峰。

㉑沙河：杭州运河。

㉒纶巾：青丝绶为巾也，世传诸葛武侯军中尝服之。鹤氅：析羽为裘也。《晋书》：王恭清操过人，美姿仪，被鹤氅裘，涉雪而行，孟昶窥之，叹曰：真神仙中人也！

㉓媾(gòu)：厚爱。

㉔涕如悬溜(liù)：谓泪水涟涟，如屋檐上流下的水。

【译文】

啊，子玉，你是南国优异杰出之人。聪敏而有文采，年幼时就有声名。你的学识渊博，文采华美，在文坛享有盛名。尤其诗名最著，是上天赐给你的才能。元稹的诗轻薄、白居易的诗浅俗，孟郊的诗清峭、贾岛的诗瘦硬。将你的诗作响亮地吟唱出来，众人之作都显得卑陋。今日这些卿相高官，都是你旧日的朋友。你可以平视青云，可以很快发达。却谁料命运坎坷，满头白发垂到脖子下面。人的才能太高便不为世俗所容，性格高傲便会惹来责难。贬居于穷山僻壤，与猩猩、猿猴做伴。晚上用的被褥没有棉絮，早上锅中没有饭食。你慨然有归隐之志，于是抛弃了官位。隐居在山脚下，侍奉土地之神。独自享受隐居的滋味，而不再关心世俗之事。凡是世人所盼望得到的，你却躲避不前。这应当能让你摆脱坎坷，并令你长寿吧。却为何就这样离去，这难道是命运吗，该责怪谁呢？过去在钱塘的时候，我们二人愉快地相遇。在一起有半年的时光，每天都喝美酒。早晨去游南屏山，晚上就歇宿在灵鹫山。饿着肚子坐在飘雪的窗前，闲来演奏清雅的乐曲。夜里从沙河归来，月光洒在霜上像白天一样明亮。头戴纶巾，身披鹤氅，当地妇人看后又惊又笑。相会之难，就像编次丝绣。突然失去，就像覆水难收。你是受人尊敬的长者，声望、德行都很高。我是后来人，与你非友而有亲戚之缘。你有个好儿子，可以光耀门楣。两个长大的孙子，称我为舅舅。想到你的去世，我泪水涟涟。写下这篇祭奠的诗文，连同一樽美酒，敬奉你享受。

祭欧阳文忠公文

【题解】

这是作者为欧阳修所写的一篇祭文。作者在文中盛赞欧阳修的功绩，认为其生死甚至与国家之兴衰相关联。全文一气呵成，情真意切，感人至深。

【原文】

呜呼哀哉！公之生于世，六十有六年。民有父母，国有蓍龟①，斯文有传，学者有师，君子有所恃而不恐，小人有所畏而不为。譬如大川乔岳，不见其运动，而功利之及于物者，盖不可以数计而周知。今公之没也，赤子无所仰芘②，朝廷无所稽疑，斯文化为异端，而学者至于用夷。君子以为无为为善，而小人沛然自以为得时。譬如深渊大泽，龙亡而虎逝，则变怪杂出，舞鳅鳝而号狐狸。昔其未用也，天下以为病；而其既用也，则又以为迟；及其释位而去也，莫不冀其复用；至其请老而归也，莫不惆怅失望。而犹庶几于万一者，幸公之未衰。孰谓公无复有意于斯世也，奄一去而莫予追。岂厌世溷浊，洁身而逝乎？将民之无禄，而天莫之遗？昔我先君，怀宝遁世，非公则莫能致③。而不肖无状，因缘出入，受教于门下者，十有六年于兹。闻公之丧，义当匍匐往救④，而怀禄不去，愧古人以忸怩⑤。缄词千里，以寓一哀而已矣。盖上以为天下

恸，而下以哭其私。呜呼哀哉！

【注释】

①蓍（shī）：草名，花似菊，其茎取以为占筮之用。灼龟甲以卜，故谓卜为龟。

②芘：同“庇”。

③《宋史·苏洵传》：至和、嘉祐间，与其二子轼、辙皆至京师，翰林学士欧阳修上其所著书二十二篇，既出，士大夫争传之，一时学者竞效苏氏为文章。语本此。

④匍匐：手行尽力也。《诗经·邶风·谷风》：“凡民有丧，匍匐救之。”

⑤忸怩：惭色也。

【译文】

真是悲哀啊！先生生于世间，有六十六年。百姓有父母，国家有决策之人，儒家典章有流传，学者有老师，君子有所凭依而不恐惧，小人有所惧怕而有不为。就像高山大河，看不到它运动，但其功效利益润泽万物，没办法计量也没办法全部了解。现在先生去世了，子民百姓得不到庇护，朝廷没有了决断疑难之人，儒家典章将化为异端邪说，而学者乃至于采用夷狄文化。君子认为无为是好的，而小人洋洋自得以为合于时宜。就好比深山大泽，龙与老虎都死亡了，而怪异之物纷纷出现，泥鳅与鳝鱼乱舞而狐狸狂号。过去他未被起用之时，天下人深以为忧；而他被起用之后，人们又认为太晚了。到他离职而去，天下人都期盼他再次被任用；到他请求归乡养老时，人们又都惆怅失望。但人们还抱有侥幸心理，庆幸先生还没有衰老。谁料先生已经不再留恋尘世，突然撒手而去，无法挽回。难道是先生厌恶了世间的混浊，想洁身自好地离开吗？还是百姓的不幸，上天不想让他留下来呢？以前，先父胸怀大才而不为所用，没有先生，他不可能入朝为官。而我无才，能够有机缘出入先生门下，接受教诲，到现在有十六年之久。听到先生去世的消息，我理当尽力前往吊唁，却为官职所累而难以前去，实在是愧对古人。千里之外写此祭文，以表达我心中的悲哀。上为全天下悲恸，下为自己而哭泣。真是悲哀啊！

苏辙文

上枢密韩太尉书

【题解】

这是作者十九岁时写给枢密使韩琦的一封信。作者在信中提出了“文者气之所形，然文不可以学而能，气可以养而致”的观点，并结合自身经历展开论述，层层深入，最后表达了想拜见韩琦的愿望。

【原文】

太尉执事[①]：辙生好为文，思之至深。以为文者气之所形，然文不可以学而能，气可以养而致。孟子曰：“我善养吾浩然之气[②]。”今观其文章，宽厚宏博，充乎天地之间，称其气之小大。太史公行天下，周览四海名山大川，与燕、赵间豪俊交游，故其文疏荡，颇有奇气。此二子者，岂尝执笔学为如此之文哉？其气充乎其中而溢乎其貌，动乎其言而见乎其文，而不自知也。

辙生十有九年矣。其居家所与游者，不过其邻里乡党之人，所见不过数百里之间，无高山大野可登览以自广。百氏之书，虽无所不读，然皆古人之陈迹，不足以激发其志气。恐遂汩没，故决然舍去，求天下奇闻壮观，以知天地之广大。过秦、汉之故都[③]，恣观终南、嵩、华[④]之高，北顾黄河之奔流，慨然想见古之豪杰。至京师，仰观

天子宫阙之壮，与仓廪、府库、城池、苑囿之富且大也，而后知天下之巨丽。见翰林欧阳公，听其议论之宏辩，观其容貌之秀伟，与其门人贤士大夫游，而后知天下之文章聚乎此也。

太尉以才略冠天下，天下之所恃以无忧，四夷之所惮以不敢发。入则周公、召公[5]，出则方叔、召虎[6]，而辙也未之见焉。且夫人之学也，不志其大，虽多而何为？辙之来也，于山见终南、嵩、华之高，于水见黄河之大且深，于人见欧阳公，而犹以为未见太尉也。故愿得观贤人之光耀，闻一言以自壮，然后可以尽天下之大观而无憾矣。

辙年少，未能通习吏事。向之来，非有取于斗升之禄，偶然得之，非其所乐。然幸得赐归待选，使得优游数年之间，将归益治其文，且学为政。太尉苟以为可教而辱教之，又幸矣。

【注释】

①太尉执事：太尉，指韩琦，时任枢密使。韩琦，字稚圭，相州安阳（今河南安阳）人。仁宗朝，出为良将，威名赫赫，与范仲淹并称“韩范”；入为贤相，举足轻重，与富弼并称“富韩”。《宋史》卷三一二有传。执事：对人的敬称，不直指其人之意。

②浩然之气：正气；正大刚直之气。

③秦都咸阳，今陕西咸阳东北；汉都长安，今陕西西安。汉光武徙洛阳，称东都，在今河南省。

④终南：山名。在陕西西安市西南。嵩：山名，五岳之一，在河南登封北。华：山名，西岳曰华山，在陕西华阴市。

⑤周公、召公：周公旦、召公奭，并相周成王。
⑥方叔、召虎：皆周宣王卿士。王命方叔征荆蛮，召虎平淮夷。

【译文】

太尉执事：我生平喜欢作文章，对此思考得很深。我认为文章是气的外在表现，但是文章不是单纯通过学习就能作好的，气可以通过修养获得。孟子说："我善于培养我的正大刚直之气。"现在看他的文章，深沉浑厚、宏伟广博，充塞于天地之间，同他的气的大小完全相称。太史公司马迁行走天下，周游天下名山大川，同燕、赵之间的英豪俊杰交游，所以他的文章流畅奔放，颇有一种不凡的气势。这两个人，难道曾经拿着笔学作这样的文章吗？那种气充满于胸中，而从外表上流露出来，通过言语发出，而在文章中表现出来，他们自己却并没有觉察到。

我出生已经有十九年了。我在家时所交游的，不过是邻居和同乡，看到的也不过是几百里路以内的景物，没有高山旷野可以登临游览来开拓自己的心胸。诸子百家的著作，虽然无所不读，然而都是古人以往的事迹，不足以激发自己的志气。我害怕就此被埋没，所以果断地离开家乡，访求天下奇异的传闻和壮丽的景观，以便了解天地的广大。经过秦朝和汉朝的故都，尽情观览终南山、嵩山和华山的高大，向北眺望黄河奔腾的急流，不由得感慨推想古时候的英雄豪杰。到了京城，抬头观看皇帝所居宫殿的雄壮，以及粮仓、府库、城池、苑囿的富丽堂皇，这才知道天下的宏伟壮丽。谒见了翰林学士欧阳公，听到他宏大雄辩的议论，看到他清秀伟岸的容貌，跟他的学生以及贤明的士大夫交游，这才知道天下的好文章都汇集在这里。

太尉您的才能谋略为天下之冠，天下百姓依靠您可以无忧无虑，周边的少数民族有所畏惧而不敢轻举妄动。您在朝廷辅政就是周公、召公，领兵出征就是方叔、召虎，可是我至今还未见过您啊。再说一个人学习，如果不立大志，就是学的再多又有什么用？我来到这里，对于山，看到了终南山、嵩山和华山的高峻；对于水，看到了黄河的广大渊深；对于人，见到了欧阳公，但仍然以没有拜谒太尉您为憾事。所以希望能够瞻仰您的风采，听到您简短的教导来勉励自己，然后才算真正看遍天下之大观而没有什么遗憾了。

我年纪轻，还不熟悉做官的事情。前些时候来京应试，并不是为了谋取一官半职，偶然得到了，也不是我所喜欢的。然而有幸得到恩赐还乡等待选拔，使我能够有几年的空闲时间，将用来更好地研习文章，并且学习处理政事。太尉如果认为我还可以教导而屈尊教导我，那又是我的幸运了！

武昌九曲亭记

【题解】

本文是一篇别有特色的记游文章。文章记叙了武昌九曲亭的修建情况及亭子周围的山水风光，表现出了苏轼对大自然的热爱。全文写作手法灵活多变，融描写、叙述、议论于一体，恰当地表达了宠辱不惊、以适意为乐的观点。

【原文】

子瞻迁于齐安[①]，庐于江上。齐安无名山，而江之南武昌诸山，陂陁[②]蔓延，涧谷深密，中有浮图精舍[③]，西曰西山，东曰寒溪[④]。依山临壑，隐蔽松枥[⑤]，萧然绝俗，车马之迹不至。每风止日出，江水伏息，子瞻杖策载酒，乘渔舟乱[⑥]流而南。山中有二三子，好客而喜游，闻子瞻至，幅巾迎笑，相携徜徉而上。穷山之深，力极而息，扫叶席草，酌酒相劳，意适忘返，往往留宿于山上。以此居齐安三年，不知其久也。

然将适西山，行于松柏之间，羊肠九曲，而获少平，游者至此必息。倚怪石，荫茂木，俯视大江，仰瞻陵阜，旁瞩溪谷，风云变化，林麓向背，皆效于左右。有废亭焉，其遗址甚狭，不足以席众客。其旁古木数十，其大皆百围千尺，不可加以斤斧。子瞻每至其下，辄睥睨[⑦]终日。一旦大风雷雨，拔去其一，斥其所据，亭得以广。子瞻与客入

山视之，笑曰："兹欲以成吾亭耶？"遂相与营之。亭成而西山之胜始具，子瞻于是最乐。

昔余少年，从子瞻游。有山可登，有水可浮，子瞻未始不褰裳[8]先之。有不得至，为之怅然移日。至其翩然独往，逍遥泉石之上，撷林卉，拾涧实，酌水而饮之，见者以为仙也。盖天下之乐无穷，而以适意为悦。方其得意，万物无以易之；及其既厌，未有不洒然自笑者也。譬之饮食，杂陈于前，要之一饱而同委于臭腐，夫孰知得失之所在？惟其无愧于中，无责于外，而姑寓焉。此子瞻之所以有乐于是也。

【注释】

①迁：贬谪。齐安：今湖北黄冈，南朝齐置齐安郡于此。

②陂陁(pō tuó)：倾斜不平。

③浮图精舍：指寺院。

④西山：一名樊山，在今鄂州鄂城西，有西山、寒溪二寺。

⑤枥：木名，与"栎"同。

⑥乱：横渡。

⑦睥睨(pì nì)：斜着眼睛看，形容高傲的样子。此谓超脱于俗世之外，于此赏景，有逸致之意。

⑧褰(qiān)裳：撩起衣服。《诗经·郑风·褰裳》："褰裳涉溱。"

【译文】

子瞻被贬谪到齐安，在长江边盖屋居住。齐安没有名山，而在长江南面的武昌群山，山势倾斜，蜿蜒曲折，涧谷深幽，中间有寺庙僧舍，西边的叫西山寺，东边的叫寒溪寺。它们背靠山梁，面临深壑，隐藏在松栎林中，环境清静与世隔绝，车马的踪迹从来不到。每当风息日出，江水缓缓流淌，子瞻拄着手杖，携带着酒食，乘上渔船渡往江南。山中有几个朋友，待客热情且喜欢游览，听说子瞻来到，头裹幅巾笑着迎接他，相互搀扶着漫步上山。大家游到山的深处，累极了就休息，扫去树叶坐在草地上，相互斟酒问候，心情舒畅以至流连忘返，常常在山上留宿。因此，他在齐安住了三年，也不觉得时间长久。

然后准备去游西山，在松柏之间行进，经过曲折的羊肠小道，才会发现稍微平坦的地方，游山的人到这里必定停下休息。倚靠在怪石上，站在茂林荫处，俯瞰大江，仰观山峰，注视着四周的溪水陵谷，其中风云变幻无穷，山林的正面和背面景色各异，都呈现在游人面前。有一个废弃的亭子，它的遗址很狭小，坐不下很多的游客。亭子旁有几十株古树，其中大的都有百围粗千尺高，无法用斧子砍伐。子瞻每次与游伴进山，到了亭子下面，总是整天仰着头盯着那些树看。一天，狂风暴雨拔起一棵树，使其离开了所占据的地方，而使亭子的范围得以扩大。子瞻与客人上山游玩看到了，笑着说："这是要帮我建成我的亭子吧？"于是一齐动手营造亭子。亭子建成后，西山的胜景才齐备，子瞻对此感到非常高兴。

过去我年轻的时候，跟着子瞻游览。只要有山可以攀登，有水可以漂流，子瞻没有一次不是撩起衣裳走在我前头的。如有他不能去的地方，就会为此好几天闷闷不乐。至于有时候飘飘然独自前往，在清泉危石中间悠闲地游玩，摘取树林中的花草，采拾山涧中的果实，舀泉水饮用，看见的人都认为他是仙人。天下的乐事是无穷无尽的，但以心的快乐为最大的快乐。当他得意的时候，任何东西都不能与这种快乐交换；等到他满足的时候，没有一次不畅快地讥笑自己的天真。好比饮食，许多东西放在你面前，饱食一顿后又一同化为腐朽的东西，谁知道它的得失在哪里？只要无愧于心，外人又无从责备，姑且寄寓心意就可以了。这就是子瞻从这里得到快乐的原因所在。

黄州快哉亭记

【题解】

本文是作者记叙文中的代表作，当时作者被贬出京，虽身处不利境地，却不消沉悲观，而能于山水之中找到快乐，表现出一种坦荡豁达的胸怀。

【原文】

江出西陵①，始得平地，其流奔放肆大。南合湘、沅②，北合汉、沔③，其势益张。至于赤壁④之下，波流浸灌，与海相若。清河张君梦得谪居齐安⑤，即其庐之西南为亭，以览观江流之胜，而余兄子瞻名之曰“快哉”。盖亭之所见，南北百里，东西一舍，涛澜汹涌，风云开阖。昼则舟楫出没于其前，夜则鱼龙悲啸于其下。变化倏忽⑥，动心骇目，不可久视。今乃得玩之几席之上，举目而足。西望武昌诸山，冈陵起伏，草木行列，烟消日出，渔夫樵父之舍，皆可指数。此其所以为快哉者也。至于长洲之滨，故城之墟，曹孟德、孙仲谋之所睥睨⑦，周瑜、陆逊之所驰骛⑧，其流风遗迹，亦足以称快世俗。

昔楚襄王从宋玉、景差于兰台之宫，有风飒然至者，王披襟当之，曰：“快哉此风！寡人所与庶人共者耶？”宋玉曰：“此独大王之雄风耳，庶人安得共之。”⑨玉之言，盖有讽焉。夫风无雄雌之异，而人有遇不遇之变。楚王之

所以为乐，与庶人之所以为忧，此则人之变也，而风何与焉！士生于世，使其中不自得，将何往而非病？使其中坦然，不以物伤性，将何适而非快？

今张君不以谪为患，收会计之余功而自放山水之间，此其中宜有以过人者。将蓬户瓮牖[10]，无所不快，而况乎濯长江之清流，挹西山之白云，穷耳目之胜以自适也哉！不然，连山绝壑，长林古木，振之以清风，照之以明月，此皆骚人思士[11]之所以悲伤憔悴而不能胜者，乌睹其为快也哉！

元丰六年十一月朔日，赵郡苏辙记。

【注释】

①西陵：峡名，在湖北宜昌市西北，又名夷陵，三峡之一。

②湘、沅：二水名，并在湖南省，其下流入洞庭湖，合于长江。

③沔：汉水一名沔水，源出陕西下流，至湖北武汉入江。

④赤壁：在今湖北赤壁市东北江滨。

⑤齐安，今湖北黄冈。

⑥倏(shū)忽：很快的样子。

⑦曹操：字孟德。孙权：字仲谋。睥睨：窥视，觊觎。

⑧周瑜：字公瑾，尝败曹操兵于赤壁。陆逊：字伯言，尝破蜀汉兵于夷陵。

⑨楚襄王一节，见宋玉《风赋》。兰台：地名，在今湖北钟祥市东。

⑩蓬户瓮牖：以蓬草编为门，以破瓮作窗户，言房屋简陋。

⑪骚人思士：泛指忧愁失意的诗人、文士。

【译文】

长江从西陵峡流出后，才进入平原，江流奔放浩大。南面汇合沅江、湘江，北面汇合汉水、沔水，水势越来越大。到了赤壁下面，波浪翻涌，就像汪洋大海。清河人张君梦得被贬官后住在齐安，在他住宅的西南方修建了一座亭子，用来观赏大江奔流的胜景。我的兄长子瞻给它起名叫“快哉亭”。在亭中所见的范围，南北有一百里，东西有三十里，只见波涛汹涌，风云变幻。白天船只在眼前出没，夜晚鱼龙在下面悲鸣。变化之快，令人触目惊心，不能长久观赏。如今却可以在亭中几席上面尽情赏玩，只要放眼就能看个够。向西遥望武昌群山，山陵起伏，草木成行，烟霭消散，太阳升起，渔人樵夫的房舍，都历历可数。这就是把亭子命名为“快哉”的缘故吧。至于那长长沙洲的沿岸，是旧城的废墟，曹操、孙权在这里窥察，周瑜、陆逊在这里纵横驰骋，缅怀他们的风范和事迹，也足以让世人称快。

从前楚襄王带着宋玉、景差同游兰台宫，有一阵风飒飒吹来，楚襄王敞开衣襟迎着风，说道：“痛快啊，这阵风！这是我和百姓共同享受的吧？”宋玉说：“这只是大王的雄风罢了，百姓怎么能和您共同享受它呢！”宋玉的话大概有讽喻的意思。那风并没有雌雄的区别，但人有得志和不得志的不同。楚襄王之所以感到快乐，百姓之所以感到忧愁，这是由于人的处境不同，与风有什么关系！读书人生活在世间，假如他心中不畅快，那么到哪里不会忧愁？假如他心中坦荡，不因为外物而损害性情，那么到哪里他不会快乐？

如今张君不把贬官当成祸患，利用处理公务的余暇，在山水之间纵情游览，这应当说是有超过常人的地方。即使用蓬草编成门、用破瓮作窗，也没有什么不快乐的；更何况在长江的清流中洗濯，观赏西山的白云，让耳目尽情享受江山美景来求得安适快乐呢！如果不是这样，山峦连绵，沟壑幽深，古木参天，清风徐来，明月高悬，这些都是伤感失意的文人士大夫因此而悲伤憔悴不能承受的景色，哪里能看出它们是令人快乐的呢！

元丰六年（公元 1083 年）十一月初一，赵郡苏辙记。

六 国 论

【题解】

在这篇史论中，作者把六国灭亡的原因归结为六国的谋士昏昧不明，不了解当时天下大势；面对强大的秦国，六国不仅不能联兵抗秦，反而互相残杀。全文运用了正反对比论证的方法，有破有立，首尾呼应。

【原文】

愚读六国世家，窃怪天下之诸侯，以五倍之地，十倍之众，发愤西向，以攻山西①千里之秦，而不免于灭亡。常为之深思远虑，以为必有可以自安之计。盖未尝不咎其当时之士，虑患之疏，而见利之浅，且不知天下之势也。

夫秦之所与诸侯争天下者，不在齐、楚、燕、赵也，而在韩、魏之郊；诸侯之所与秦争天下者，不在齐、楚、燕、赵也，而在韩、魏之野。秦之有韩、魏，譬如人之有腹心之疾也。韩、魏塞秦之冲，而蔽山东②之诸侯，故夫天下之所重者，莫如韩、魏也。昔者范雎用于秦而收韩③，商鞅用于秦而收魏④。昭王未得韩、魏之心，而出兵以攻齐之刚、寿，而范雎以为忧⑤，然则秦之所忌者，可以见矣。秦之用兵于燕、赵，秦之危事也。越韩过魏而攻人之国都，燕、赵拒之于前，而韩、魏乘之于后，此危道也。而秦之攻燕、赵，未尝有韩、魏之忧，则韩、魏之附秦故也。夫韩、魏

诸侯之障，而使秦人得出入于其间，此岂知天下之势邪？委区区之韩、魏，以当强虎狼之秦，彼安得不折而入于秦哉！韩、魏折而入于秦，然后秦人得通其兵于东诸侯，而使天下遍受其祸。

夫韩、魏不能独当秦，而天下之诸侯，借之以蔽其西，故莫如厚韩亲魏以摈⑥秦。秦人不敢逾韩、魏以窥齐、楚、燕、赵之国，而齐、楚、燕、赵之国，因得以自完于其间矣。以四无事之国，佐当寇之韩、魏，使韩、魏无东顾之忧，而为天下出身以当秦兵。以二国委秦，而四国休息于内，以阴助其急。若此，可以应夫无穷，彼秦者将何为哉？不知出此，而乃贪疆埸⑦尺寸之利，背盟败约，以自相屠灭，秦兵未出，而天下诸侯已自困矣。至使秦人得伺其隙，以取其国，可不悲哉！

【注释】

①山西：崤(xiáo)山以西。崤山：在今河南洛宁县北。

②山东：崤山以东。

③范雎：魏人，仕秦封应侯。说秦昭王曰：秦韩之地形相错如绣，秦之有韩也，譬如木之有蠹也，人之有心腹之病也。天下有变，为秦患者，孰大于韩乎？王不如收韩。昭王曰善。

④《史记·商君列传》：卫鞅说孝公曰：秦之与魏，譬若人之有腹心疾，非魏并秦，秦即并魏。而魏往年大破于齐诸侯畔之，可因此时伐魏。孝公以为然，使卫鞅将而伐魏，魏使使割河西之地献于秦以和。而魏遂去安邑，徙都大梁。

⑤《史记·范雎列传》："范雎谓秦昭王曰：'夫穰侯越韩魏而攻齐纲、

寿，非计也。少出师则不足以伤齐，多出师则害于秦。'"刚（即纲）、寿：齐邑，均在今山东境内。

⑥摈（bìn）：排除。

⑦疆埸（yì）：边境。

【译文】

我曾经读过《史记》中的六国世家，私下里觉得奇怪，当时天下的那些诸侯，用五倍于秦的土地、十倍于秦的军民，决心努力向西，攻打崤山以西千里之大的秦国，却不能免于灭亡。我常常为此深思远虑，认为必定有一种能够保全自己的办法。因而我不得不责备当时那些谋士，对祸患的考虑太疏忽，对利害的见识太短浅，并且不大了解天下的大势。

秦国与诸侯争夺天下的地方，不在齐、楚、燕、赵等国，而在韩、魏的郊区；诸侯与秦国争夺天下的地方，也不在齐、楚、燕、赵各国，而在韩、魏的边境。对秦国来说，韩、魏二国的存在，就像人的心腹有了疾病。因为韩、魏二国堵塞了秦国的交通要道，掩蔽了崤山以东的诸侯国，所以天下最重要的地方，没有比得上韩、魏二国的。从前，范雎被秦国重用后就主张攻取韩国，商鞅被秦国重用后就主张收取魏国。秦昭王在韩、魏二国没有真心降服时，就出兵攻打齐国的刚、寿，范雎为此感到忧虑，那么，秦国所顾忌的事情是显而易见的。秦国出兵攻打燕、赵二国，对秦国来说是危险的事。因为越过韩、魏二国去攻打别国的首都，燕、赵二国会在前面坚决抵抗，韩、魏二国会在后面乘机截击，这是一条危险的道路啊。秦国出兵攻打燕、赵二国，没有产生韩、魏二国从后面袭击的忧虑，那是因为韩、魏二国已经归附秦国的缘故。韩、魏二国是其他诸侯国的屏障，却让秦国人在那里随便出入，这难道是了解天下的大势吗？抛弃弱小的韩、魏二国，让他们去抵挡虎狼般的强秦，他们怎能不转身投入秦国的怀抱呢？他们既然转身投入了秦国的怀抱，秦国的军队就会通过他们那里攻打东方的诸侯国，从而使天下各国都遭受战祸。

韩、魏二国是不能单独抵挡秦国的，天下的诸侯需要借它们作为自己西边的屏障，因此不如用优厚的条件加强与韩、魏二国的亲密关系，来共同抗拒秦国。秦国不敢越过韩、魏二国去攻打齐、楚、燕、赵等国，而齐、楚、燕、赵各国便可以在这种环境中自我保全了。用四个太平无事的国家，帮助韩、魏二国抵挡敌寇，使韩、魏二国没有后顾之忧，而为天下出力抵挡秦国的进攻。用两个国家对付秦国，让四个国家在后面得到休息，在暗中帮助解决两国的急难。这样，就可以应付任何情况，秦国还能有什么作为呢？六国不知道从这方面想办法，却贪图边界尺寸土地的小利，背叛联盟，破坏条约，自相残杀。秦国的军队还没有出动，天下的诸侯国已自己搞得疲惫不堪了。结果使得秦国能够找到他们的破绽，夺取他们的国家，能不令人悲伤吗？

汉文帝论

【题解】

本文是一篇史论。作者在文中肯定了汉文帝无为而治、与民休息的治国策略，着重强调了“柔弱胜刚强”的观点。但古今时势不同，政策也应随之更易，作者的论点似过于绝对。

【原文】

老子曰：“柔胜刚，弱胜强[①]。”汉文帝以柔御天下，刚强者皆乘风而靡。尉佗称号南越，帝复其坟墓，召贵其兄弟，佗去帝号，俯伏称臣[②]。匈奴桀敖，陵驾中国，帝屈体遗书，厚以缯絮[③]，虽未能调伏，然兵革之祸，比武帝[④]世，十一二耳。吴王濞[⑤]包藏祸心，称病不朝，帝赐之几杖，濞无所发怒，乱以不作。使文帝尚在，不出十年，濞亦已老死，则东南之乱，无由起矣。至景帝[⑥]不能忍，用晁错[⑦]之计，削诸侯地。濞因之号召七国[⑧]，西向入关。汉遣三十六将军[⑨]，竭天下之力，仅乃破之。错言：“诸侯强大，削之亦反，不削亦反。削之，则反疾而祸小；不削，则反迟而祸大。”世皆以其言为信，吾以为不然。诚如文帝忍而不削，濞必未反，迁延数岁之后，变故不一，徐因其变而为之备，所以制之者，固多术矣。猛虎在山，日食牛羊，人不能堪，荷[⑩]戈而往刺之，幸则虎毙，不幸则人死，其为害亟[⑪]矣。晁错之计，何以异此！若能高其垣墙，深其陷

阱，时伺而谨防之，虎安能必为害？此则文帝之所以备吴也。呜呼！为天下虑患，而使好名贪利小丈夫制之，其不为晁错者鲜矣！

【注释】

①《老子》："将欲歙之，必固张之；将欲弱之，必固强之。……是谓微明，柔弱胜刚强。"

②尉佗：即赵佗也。佗，真定（今河北石家庄市东）人，秦时为南海龙川令。二世时，天下乱，南海尉任嚣病且死，召佗行尉事，教以绝关自备，佗因据南越自王。高帝十一年（公元前196年），遣陆贾往，立佗为南越王。高后时，佗尝寇长沙边，文帝初立，复使贾往，以书论之，佗恐，顿首称臣。

③缯：帛也，匈奴岁入边杀掠人民，文帝使使遗匈奴书，又遗之秫蘖金帛丝絮佗物岁有数。

④武帝：刘彻，景帝中子，初封胶东王，后为皇太子嗣位，在位五十四年。

⑤吴王濞（bì）：刘邦之侄，刘仲之子。

⑥景帝：名启，文帝子。

⑦晁错：汉颍川（治今河南禹州）人，景帝时，为御史大夫。

⑧七国：谓吴、楚、赵、胶西、胶东、淄川、济南。

⑨景帝以周亚夫为太尉，将三十六将军击吴楚。

⑩荷（hè）：担，负。

⑪亟（jí）：疾，快。

【译文】

老子说："柔弱能战胜刚强。"汉文帝以清静柔和治理天下，刚强的豪杰纷纷归附。赵佗在南越国僭称帝号，汉文帝派人修复了赵佗祖先的坟墓，下诏给赵佗的堂兄弟赐官授职，于是赵佗去除帝号，俯首称臣。匈奴强横凶暴，欺凌汉朝，汉文帝屈尊给匈奴写信，答应每年给匈奴许多金帛绢缯，虽然没有完全解除威胁，但是战争的灾祸，与汉武帝时期相比，只有十分之一二啊。吴王刘濞包藏祸心，称病不入朝，汉文帝赐予他倚几与手杖，刘濞失去了发泄怒火的机会，祸乱才没有发生。假使汉文帝还活着，不到十年，刘濞就会老死，那么东南地区的七国之乱，就不会发生了。到汉景帝时不能忍受（刘濞等诸侯王的强大），于是采用晁错的计谋，削减各诸侯王的封地。刘濞因而借机号召吴、楚、赵、胶西、胶东、淄川、济南等七国发动叛乱，越过关隘向西边发动进攻。汉景帝派遣周亚夫带领三十六名将军抵御叛军，竭尽全天下的人力物力，才得以平定叛乱。晁错说："各诸侯王过于强大，现在削减他们的封地，他们会造反；不削减他们的封地，他们也会造反。削减他们的封地，那么他们造反快，祸乱反而小；不削减他们的封地，那么他们造反慢，祸乱反而大。"世人都认为他的观点是正确的，我却不以为然。比如汉文帝容忍刘濞而不削减他的封地，刘濞必定不会造反，等过几年之后，说不定会发生什么变故，到时候随机应变并做相应的防备，想要制伏他，本来就有很多种办法。山上有凶猛的老虎，每天吃牛羊家畜，有人不能忍受，于是带着兵器上山去杀老虎，幸运的话老虎被击毙，不幸的话就会被老虎杀死，这样做的风险和害处太大了。晁错的计谋，跟这又有什么区别呢！如果能加高他家的围墙，挖深他设的防备老虎的陷阱，时刻窥伺并谨慎防备，老虎怎么还会成为祸患呢？这就是汉文帝防备吴国的方法啊。唉！为天下安危考虑，要是让好名贪利的小人来制定政策，不成为晁错这样的很少！

用　重　臣

【题解】

本文详尽地阐明了权臣和重臣的内涵及二者之间的区别，明确地提出了要用那些有胆识、有才能的重臣的政治主张。文章在写作上采取了对比论证的手法，旗帜鲜明，说理透彻。

【原文】

臣闻天下有权臣，有重臣，二者其迹相近而难明。天下之人，知恶夫权臣之为；而世之重臣，亦遂不容于其间。夫权臣者，天下不可一日而有；而重臣者，天下不可一日而无也。天下徒见其外，而不察其中，见其皆侵天子之权，而不察其所为之不类，是以举皆嫉之而无所喜，此亦已太过也。今夫权臣之所为者，重臣之所切齿；而重臣之所取者，权臣之所不顾也。将为权臣耶？必将内悦其君之心，委曲听顺，而无所违戾；外窃其生杀予夺之柄，黜陟①天下，以见己之权，而没其君之威惠。内能使其君欢爱悦怿，无所不顺，而安为之上；外能使其公卿大夫、百官庶吏无所归命，而争为之腹心。上爱下顺，合而为一，然后权臣之势遂成而不可拔。至于重臣则不然，君有所为不可以，必争；争之不能，而其事有所必不可听，则专行而不顾，待其成败之迹著，则上之心将释然而自解。其在朝廷之中，天子为之踧然②而有所畏，士大夫不敢安肆怠惰

于其侧。爵禄庆赏，己得以议其可否，而不求以为己之私惠；刀锯斧钺[3]，己得以参其轻重，而不求以为己之私势。要以使天子有所不可必为，而群下有所震惧，而己不与其利。何者？为重臣者，不待天下之归己；而为权臣者，亦无所事天子之畏己也。故各因其行事，而观其意之所在，则天下谁可欺者？臣故曰：为天下安可一日无重臣也！

且今使天下而无重臣，则朝廷之事，惟天子之所为，而无所可否。虽天子有纳谏之明，而百官畏惧战栗，无平昔尊重之势，谁肯触忌讳，冒罪戾，而为天下言者？惟其小小得失之际，乃敢上章，欢哗而无所惮；至于国之大事，安危存亡之所系，则将卷舌[4]而去，谁敢发而受其祸？此人主之所大患也。悲夫！后世之君，徒见天下之权臣，出入唯唯，以为有礼，而不知此乃所以潜溃其国；徒见天下之重臣，刚毅果敢，喜逆其意，则以为不逊，而不知其有社稷之虑。二者淆乱于心，而不能辨其邪正，是以丧乱相仍而不悟，何足伤也！昔者卫太子[5]聚兵以诛江充，武帝震怒，发兵而攻之，京师至使丞相、太子相与交战。不胜而走，又使天下极其所往，而翦灭其迹。当此之时，苟有重臣出身而当之，拥护太子，以待上意之少解，徐发其所蔽，而开其所怒，则其父子之际，尚可得而全也。惟无重臣，故天下皆知之而不敢言。臣愚以为凡为天下，宜有以养其重臣之威，使天下百官有所畏忌，而缓急之间，能有所坚忍持重而不可夺者。窃观方今四海无变，非常之事，宜其息而不作。然及今日而虑之，则可以无异日之患；不然者，谁能知其果无有也，而不为之计哉？抑臣闻之，今世

之弊，在于法禁太密。一举足不如律令，法吏[6]且以为言，而不问其意之所属。是以虽天子之大臣，亦安敢有所为于法律之外，以安天下之大事？故为天子之计，莫若少宽其法，使大臣得有所守，而不为法之所夺。昔申屠嘉[7]为丞相，至召天子之幸臣邓通，立之堂下，而诘责其过。是时，通几至于死而不救。天子知之，亦不以为怪，而申屠嘉亦卒非汉之权臣。由此观之，重臣何损于天下哉？

【注释】

①黜陟：指人才的进退，官吏的升降。

②踧然：惊惧不安貌。

③斧钺：斧和钺，古代兵器，亦泛指刑罚、杀戮。

④卷舌：闭口不言。

⑤卫太子：即刘据，汉武帝刘彻子，被立为太子，因其母为卫皇后，故称卫太子。后被江充诬陷，不得已起兵反抗，战败自尽。

⑥法吏：古代司法官吏。

⑦申屠嘉：西汉大臣，历汉高祖、惠帝、吕后、文帝、景帝五朝。曾拟诛宠臣邓通，文帝为请方免。

【译文】

我听说天下有权臣，有重臣，这两种人的言论和事迹相近而难以分明。天下的人，都痛恨权臣专权；世上的重臣，也就不被人们所宽容。权臣这种人，天下一天也不能有；重臣这种人，天下不能一天没有。天下人只看见了他们的外表，而没有看到他们的本质，看见他们都侵夺皇帝的权力，而没有看到他们的所作所为是不相同的，因此全都嫉恨而不喜欢他们，这也太过分了。其实权臣的所作所为，是重臣切齿痛恨的；重臣所取的东西，是权臣所不顾惜的。他将要做权臣吗？那么必将在宫内讨得皇帝的欢心，委曲求全，恭顺听话，从不违背；在朝廷外则操着生杀予夺的权力，任免天下的官吏，来表现自己的权威，掩蔽皇帝的威权和恩惠。内能使他的国君欢爱喜悦，无不顺心，心安理得地当他的皇上；外能使文武百官无不归顺听命，争着做他的心腹。国君喜爱他，百官顺从他，二者合而为一，然后权臣的势力就形成了，不可动摇了。至于重臣却不是这样，国君有做得不对的，他一定会谏争。谏争不起作用的话，他做事时必定有所不听，一意专行而不顾及，等他把事做成的时候，皇上的心情将变得轻松而自我宽解。他在朝廷时，皇帝惊惧不安而对他有所敬畏，士大夫不敢在他面前安闲怠惰。爵位赏赐，他有给与不给的权力，但他不谋求个人的恩惠；刑罚处置，他能够决定其轻重，而不谋求个人的权势。重要的是让皇帝知道什么事不能做，群臣有所畏惧，可是自己不从中捞取利益。为什么呢？做重臣的，不希望天下人都归顺自己；做权臣的，也不是要皇帝怕自己。所以，各人根据情况行事，看皇帝的意图而定，那么天下谁敢欺蒙他？我因此说，天下怎么可以一天没有重臣呢！

假使天下没有重臣，那么朝廷的事，将听任皇帝去做，没有做或者不做的选择。虽然皇帝有纳谏的贤明，但百官畏惧战栗，没有平时尊重的态势，谁敢触忌讳，冒着被降罪的危险，去对皇帝进言呢？只有那些小事情，才敢上奏章，大声议论而没有什么忌讳；遇到国家大事，关系到国家安危存亡时，却缄口不言而离开，谁敢发言招来祸害？这是国君的大患。可悲啊！后世的国君，只看见天下的权臣，出入时谦卑地应答，认为他彬彬有礼，却不知道他在无形中腐蚀自己的国家；只看见天下的重臣，刚毅果敢，喜欢违背国君的意愿，就认为他不谦逊，却不知道他关心国家大事。在国君心里这两种人互相混淆，而不能辨别他们的邪恶与正直，所以亡国与混乱的事接连发生却仍然没有醒悟，哪里值得伤心啊！从前，西汉的卫太子调集军队诛杀江充，汉武帝大怒，派兵攻打卫太子，在京城里，丞相和太子交战，太子战败逃走，汉武帝又尽调天下精兵前往，将太子消灭。在这个时候，如果有重臣挺身而出挡住这事，拥护太子，等待武帝的怒意稍微宽解，再慢慢地指出他所受的蒙蔽，开导他所气恼的事情，那么汉武帝和卫太子的父子关系，还能够保全。正因为没有重臣，所以天下人都知道却不敢说。愚意认为凡是拥有天下的国君，应该培养重臣的威望，使天下的百官有所畏惧，一旦发生紧急情况，能有坚韧不拔、老成持重而不可夺志的人。我看现在天下没发生什么变故，对突如其来的事变，应该把它消灭在萌芽之中。如果能在现在考虑这些事，那就不会发生今后的祸患；不这样的话，谁能料到将来没有突然事变，而不及早对此加以考虑呢？我听说，现在的弊病，在于法令太严。一有什么事不合乎法律，掌管法律的官员就会议论，却不问他的用意是什么。所以即使是天子的大臣，又怎么敢在法律之外有所作为，来安定天下？因此为天子考虑，不如稍微放宽法度，使大臣有法令恪守，但又不会为法令而被迫改变。从前申屠嘉担任丞相，把天子的宠臣邓通叫来，让他站在堂下，指责他的过失。这时，邓通几乎被置于死地而无法挽救。皇帝知道了，也不觉得奇怪，申屠嘉也不是汉朝的权臣。由此看来，重臣对天下有什么害处呢？

孟　德　传

【题解】

作者以不慕浮华的独到眼光，赞颂了孟德这个平凡的小人物身上的闪光之处。文章选材精当，运用巧妙，笔调冷隽，不动声色。

【原文】

孟德者，神勇[①]之退卒也，少而好山林；既为兵，不获如志。嘉祐中，戍秦州[②]，秦中多名山。德出其妻，以其子与人，而逃至华山下，以其衣易一刀十饼，携以入山。自念："吾禁军也，今至此，擒亦死，无食亦死，遇虎狼毒蛇亦死。此三死者，吾不复恤[③]矣，惟山之深者往焉。"食其饼既尽，取草根木实食之。一日十病十愈，吐、利、胀、懑，无所不至。既数月，安之如食五谷，以此入山二年而不饥。然遇猛兽者数矣，亦辄不死。德之言曰："凡猛兽，类能识人气。未至百步，辄伏而号，其声震山谷。德以不顾死，未尝为动[④]。须臾，奋跃如将搏焉，不至十数步，则止而坐，逡巡[⑤]弭耳而去。试之，前后如一。"

后至商州，不知其商州[⑥]也，为候者所执，德自分死矣。知商州宋孝孙谓之曰："吾视汝非恶人也，类有道者。"德具道本末，乃使为自告[⑦]者，置之秦州。张公安道[⑧]适知秦州，德称病，得除兵籍为民。至今往来诸山中，亦无他异能。

夫孟德可谓有道者也。世之君子皆有所顾,故有所慕,有所畏。慕与畏交于胸中,未必用也,而其色见于面颜,人望而知之。故弱者见侮,强者见笑,未有特立于世者也。今孟德其中无所顾,其浩然之气发越于外,不自见而物见之矣。推此道也,虽列于天地可也,曾何猛兽之足道哉?

【注释】

①神勇:禁军营的名称。

②秦州:治今甘肃天水市。

③恤:顾虑,忧虑。

④为动:被它所惊动。

⑤逡巡:有所顾虑而徘徊不前。

⑥商州:治今陕西商洛市。

⑦自告:自首。

⑧张公安道:名方平,宋代官员,神宗时拜参知政事,因反对新法,出判应天府。《宋史》有传。

【译文】

孟德,是禁军中的退伍士兵,年少时就喜爱山林;由于当了兵,所以没有实现他的愿望。嘉祐年间,他驻守秦州,秦州的辖区内有很多名山。孟德抛弃妻子,把儿子送给了别人,逃到华山脚下,用他的衣服换了一把刀和十个饼。他带了这些东西进入山中。他想:“我是一名禁军士兵,现在到了这里,被捉住了是死,没有粮食也是死,遇到虎狼毒蛇还是死。反正三种结果都是死,我还顾虑什么呢?只能隐到大山深处了。”饼吃完了，他就用草根野果充饥。一天里病了多次，好了多次。呕吐、拉痢、腹胀、胸闷，什么病都有。可过了几个月，他食用草根野果就好像吃五谷杂粮一样，凭着这些本事，他入山两年了，也没有饿死。即使是几次遇到猛兽，也总能不死。孟德说：“凡是猛兽，大都能够辨别人的气味。距离人不到百步，往往趴下来吼叫，吼声震山谷。我因为不再顾虑生死，所以从来不被惊动。不久，猛兽奋力跃起好像要跟我搏斗，相距不到十几步，它就停止攻击，蹲在地上，徘徊了一会儿便俯首帖耳走了。试了几次，都是一样。”

后来他到了商州，他不知道这里就是商州，被巡逻的士兵捉住了。孟德以为自己定会被处死。商州的知州宋孝孙对他说：“我看你也不是一个坏人，好像是有德行的人。”孟德便把自己的经历从头到尾说了一遍，宋孝孙就把他当作是自首的人，安置在秦州。张安道恰好在秦州任知州，孟德自称有病，才得以解除兵籍，成为普通的老百姓。他到现在还在群山中往来，也没有特别的才能。

孟德可以说是一个有道德的人。世上的君子都有所顾忌，因此有所仰慕，有所畏惧。仰慕、畏惧的心情交织在胸中，不一定发生实际作用。可是那种神色在脸面上显现，别人一看就知道。所以软弱的人被侮辱，倔强的人被讥笑，在世上没有哪个能特立独行。如今孟德的心中没有顾虑，他的浩大刚正的气质焕发到身外，他自己见不到，可是别人却看得到。以此类推，即便是和天地并列也可以了，那些猛兽又算得了什么呢？

附录

宋史老泉先生传略

苏洵，字明允，眉州眉山人。年二十七，始发愤为学，悉焚常所为文，闭户益读书，遂通《六经》、百家之说。嘉祐间，与其二子轼、辙至京师，欧阳修上其所著书二十二篇，一时学者，竞效苏氏为文章。宰相韩琦奏于朝，召试舍人院，辞疾不至，遂除秘书省校书郎。会太常修纂建隆以来礼书，乃以为霸州文安县主簿。与陈州项城令姚辟同修礼书，为《太常因革礼》一百卷。书成，方奏未报，卒，年五十八。赐其家缣绢二百，轼辞所赐，求赠官，特赠光禄寺丞。有《文集》二十卷，《谥法》三卷。

宋史东坡先生传略

苏轼，字子瞻，眉州眉山人。生十年，而父洵游学四方，母程氏亲授以书，闻古今成败，辄能语其要。母尝读东汉《范滂传》，轼曰："轼若为滂，母许之否乎？"母曰："汝能为滂，吾顾不能为滂母耶。"嘉祐二年，中乙科，欧阳修谓梅圣俞曰："老夫当避此人出一头地。"摄开封推官，决断精敏，会上元有旨市浙灯，轼密疏罢之。时言事者摘诗语以为谤，安置黄州。轼幅巾芒履，与田父野老相从溪谷之间，筑室于东坡，自号东坡居士。召还，寻除翰林学士，入对便殿，宣仁后谓之曰："先帝每诵卿文章，必叹曰：奇才奇才！但未及进用卿耳。"轼不觉哭失声，宣仁后与哲宗亦泣，左右皆感泣。已而命坐赐茶，彻御前金莲烛送归院。出知杭州，时湖中葑积为田，轼取葑田积于湖，筑为长堤，以通南北，堤成，植芙蓉杨柳其上，望之如图画，杭人名之苏公堤。其去也，民皆画像，饮食必祀，其有德于杭也。已贬惠州，居三年，泊然无芥蒂，又贬儋耳，地非人所居，药饵皆无有，而独与幼子过著书为乐，若将终身焉。尝自谓作文如行云流水，初无定质，但常行于所当行，止于所不可不止，虽嬉笑怒骂之词，皆可书而诵之，世间乐事无复逾此。有《东坡集》四十卷、《后集》二十卷、《奏议》十五卷等。建中初卒常州，谥文忠。

宋史颍滨先生传略

苏辙，字子由，与兄同登进士，又同举制科，累官翰林学士，门下侍郎。自绍圣后，以言忤旨，蔡京复用事，贬谪迁徙无虚日。晚筑室于许，自号颍滨遗老，又号栾城。为人沉静简洁，为文汪洋澹泊，而有秀杰之气，其高处几与兄轼相迫。所著《诗传》《春秋传》《古史》《老子解》《栾城文集》并行于世。谥文定。